KB207279

초보자를 위한 실전주식투자 바이블

초보자를 위한 실전주식투자 바이블

발　행 | 2024년 12월 26일
저　자 | 조덕현 (유튜브 채널 : INVEST GPT)
펴낸이 | 한건희
펴낸곳 | 주식회사 부크크
출판사등록 | 2014.07.15.(제2014-16호)
주　소 | 서울특별시 금천구 가산디지털1로 119 SK트윈타워 A동 305호
전　화 | 1670-8316
이메일 | info@bookk.co.kr

ISBN | 979-11-419-6926-4

www.bookk.co.kr

초보자를 위한 실전주식투자 바이블

조덕현(INVEST GPT) 지음

CONTENT

투자, 새로운 길을 여는 첫걸음

주식 투자는 단순히 돈을 벌기 위한 수단이 아닙니다. 그것은 기업의 성장 이야기에 동참하고, 경제의 흐름을 이해하며, 나아가 자신의 미래를 설계하는 강력한 도구입니다. 그러나 많은 사람들에게 주식 투자는 여전히 낯설고 어렵게 느껴집니다. 복잡한 차트, 알 수 없는 용어, 끊임없이 변동하는 시장 속에서 첫걸음을 떼는 것이 쉽지 않은 일이기 때문입니다.

이 책, "초보자를 위한 실전 주식투자 바이블"은 이러한 두려움을 해소하고, 여러분이 주식 투자라는 세계에 자신감 있게 들어설 수 있도록 돕기 위해 쓰였습니다. 저는 2002년부터 지금까지 주식투자를 해 왔습니다. 벌써 22년이라는 시간이 흘렀습니다. 그동안 많은 시장의 변화를 견디며 지금까지 투자에 대해 알아가고 있습니다. 30대 때는 대한민국 최대 증권사인 대우증권에서 PB(Private Banker)로 일하며 투자를 더 전문적으로 배웠습니다. 이 경험을 바탕으로 단순한 이론이 아닌, 실전에서 바로 적용할 수 있는 살아있는 지식을 이 책에 담았습니다.

주식 투자에 입문하려는 초보자라면 무엇보다 주식의 본질과 기본기를 이해하는 것이 중요합니다. 이를 위해 이 책의 첫 번째 부분에서는 주식 시장의 구조와 역할, 주식 용어, 계좌 개설 방법 등 투자의 기초를 쉽고 명확하게 설명합니다. 이후, 기본적 분석과 기술적 분석을 활용해 종목을 평가하고, 전략을 세우는 방법을 단계적으로 안내합니다.

또한, 국내 시장에 머무르지 않고 글로벌 시장으로 확장된 시야를 제공하기 위해, 미국 주식과 ETF 투자에 대한 내용을 별도로 다루었습니다. 다우존스, 나스닥, S&P500 등 주요 지수의 특징은 물론, 테슬라와 애플 같은 글로벌 기업의 사례를 통해 실전 투자의 감각을 키울 수 있도록 도울 것입니다.

무엇보다 이 책의 가장 큰 특징은 실전 투자에 필요한 구체적인 팁과 전략이 가득하다는 점입니다. 심리적 함정을 피하는 법, 매수와 매도 타이밍을 잡는 방법, 실패를 최소화하는 리스크 관리 전략 등 주식 투자자로서 반드시 알아야 할 실질적인 내용을 풍부하게 다루었습니다.

워런 버핏은 말했습니다. "투자란 현재의 자원을 미래의 더 큰 가치를 위해 배분하는 예술이다." 이 책은 단순히 이익을 추구하는 것이 아니라, 미래를 준비하는 현명한 투자자가 되는 길로 여러분을 이끌 것입니다.

이제, 주식 투자라는 여정에 첫 발을 내딛을 준비가 되셨나요? 이 책이 여러분의 성공적인 투자 여정에 든든한 동반자가 되기를 진심으로 바랍니다. 함께 주식의 세계로 뛰어들어 경제적 자유를 향한 새로운 길을 열어봅시다.

제1부 주식의 첫걸음-기본을 배우다

1. 주식, 왜 시작해야 할까?

1.1. 복리의 마법 : 돈이 돈을 벌게하다

주식 투자에서 가장 강력한 무기는 무엇일까요? 바로 복리(compound interest)입니다. 이 단어는 학교 다닐 때 수학 시간에 한 번쯤 들어봤을 겁니다. 하지만 복리가 왜 이렇게 중요한지 실감하는 사람은 많지 않습니다. 복리는 단순한 개념이 아닙니다. 이는 당신의 돈이 스스로 일을 해서 더 많은 돈을 만들어 내는 '마법'과도 같습니다.

복리란 무엇인가?
복리를 한마디로 설명하면 이렇습니다.
"번 돈에 또 이자를 붙이고, 그 이자에 또 이자를 붙인다."
쉽게 말해, 원금에 붙은 이자도 새로운 원금으로 작용해서 계속 돈이 불어나는 구조입니다.

예를 들어볼까요? 만약 당신이 100만 원을 투자하고 매년 10%의 수익률을 얻는다고 가정해봅시다.
- 첫해에는 100만 원이 110만 원이 됩니다.
- 둘째 해에는 110만 원이 121만 원으로 늘어납니다.
- 셋째 해에는 121만 원이 133만 1천 원이 되고요.

이렇게 시간이 지날수록 단순히 원금만 불어나는 것이 아니라, 이자에 이자가 붙어 자산이 폭발적으로 늘어납니다. 30년이 지나면 이 100만 원은 10배가 넘는 약 1,745만 원으로 불어나게 됩니다.

워런 버핏과 복리
워런 버핏은 복리의 마법을 가장 잘 활용한 사람 중 하나입니다. 그는 11살 때 처음으로 주식을 샀고, 그때부터 복리의 힘을 믿고 장기 투자를 실천했습니다. 오늘날 그는 세계적인 부자가 되었지만, 그의 부의 대부분은 60대 이후에 폭발적으로 늘어났습니다. 그 이유가 바로 복리입니다. 버핏은 이렇게 말했습니다.
"시간이 복리의 가장 큰 친구다. 투자에서 성공하고 싶다면 인내심을 가져라."

복리가 보여주는 놀라운 차이

복리의 힘은 투자 금액뿐만 아니라 투자 기간에도 크게 좌우됩니다. 20대에 시작한 사람과 40대에 시작한 사람의 결과는 엄청난 차이를 보입니다. 예를 들어, 한 사람이 25세부터 매달 10만 원씩 10년간(총 1,200만 원) 투자하고, 이후 아무것도 하지 않았다고 가정해봅시다. 또 다른 사람은 35세부터 매달 10만 원씩 30년간(총 3,600만 원) 투자했다고 합시다.

수익률이 연평균 7%라고 가정했을 때, 결과는 어떻게 될까요?

- 첫 번째 사람의 자산: 약 1억 2천만 원
- 두 번째 사람의 자산: 약 1억 원

놀랍지 않나요? 투자 기간이 길수록 복리는 훨씬 더 강력한 힘을 발휘합니다.

복리를 실전에서 활용하는 방법

1. 투자는 일찍 시작할수록 좋다

   복리는 시간이 지날수록 더 큰 효과를 발휘합니다. 투자할 돈이 많지 않아도 상관없습니다. 중요한 건 '언제 시작하느냐'입니다.

2. 재투자하라

   배당금이나 수익이 생길 때 그 돈을 다시 투자하세요. 재투자는 복리의 효과를 극대화합니다.

3. 장기 투자를 실천하라

   복리는 단기적인 이익보다 장기적인 성장에서 그 진가를 발휘합니다.

복리는 우리 삶에 어떻게 적용될까?

복리는 투자뿐만 아니라 삶의 여러 분야에서도 적용될 수 있습니다. 예를 들어, 매일 1%씩 더 나은 사람이 되기 위해 노력한다면 1년 후 당신은 원래 자신보다 37배 더 나은 사람이 될 것입니다. 작은 변화가 큰 결과를 만든다는 점에서 복리는 진정한 인생의 마법이라 할 수 있습니다.

이제 복리의 마법을 활용할 준비가 되셨나요? 지금 시작하는 작은 투자도 시간이 지나면 놀라운 결과를 가져다줄 것입니다. 주식 시장은 당신의 돈이 스스로 일하도록 만들어주는 곳입니다. 이 책을 통해 복리의 힘을 제대로 이해하고 활용해보세요. 투자라는 여정에서 복리는 당신의 가장 강력한 동반자가 될 것입니다.

1.2 경제 성장과 주식의 연결고리

주식 투자, 단순히 돈 버는 일일까?

많은 사람들은 주식을 단순히 "싸게 사서 비싸게 파는 게임"으로 생각합니다. 하지만 주식은 단순히 돈을 벌기 위한 도구에 그치지 않습니다. 주식은 기업과 경제 성장의 이야기를 공유하는 가장 강력한 방법입니다. 주식 시장을 이해하는 것은 한 개인의 자산을 늘리는 것뿐만 아니라, 경제 전체의 움직임을 읽는 통찰력을 키우는 일이기도 합니다.

주식 시장은 어떻게 경제를 반영할까?

주식 시장은 단순한 매매의 공간이 아닙니다. 이는 경제의 거울입니다. 기업이 성장하고, 사람들이 소비하며, 혁신이 이루어지는 모든 과정이 주식 시장에 반영됩니다.

예를 들어볼까요?
- 2020년, 코로나19 팬데믹이 전 세계를 강타했을 때 주식 시장은 급락했습니다. 하지만 몇 달 뒤, 기술 기업들이 새로운 경제 환경에서 활약하면서 나스닥과 같은 기술 중심 지수는 급등하기 시작했습니다. 경제 상황의 변화가 주식 시장에 바로 반영된 것입니다.
- 또 다른 예로, 애플과 같은 기업이 새로운 제품을 발표하거나 테슬라가 전기차 산업의 혁명을 일으킬 때, 이들의 주가는 기업의 혁신과 함께 경제의 새로운 흐름을 반영합니다.

이처럼 주식 시장은 단순히 숫자가 오르고 내리는 곳이 아니라, 경제와 기업의 성장을 실시간으로 보여주는 '경제의 체온계' 역할을 합니다.

주식, 경제 성장에 투자하는 방법

주식을 산다는 것은 단순히 종이를 사고파는 것이 아닙니다. 이는 그 기업의 일부를 소유하고, 성장에 참여하는 것을 의미합니다.
- 만약 당신이 삼성전자의 주식을 산다면, 반도체 혁명과 5G 기술 발전에 동참하는 셈

입니다.
- 테슬라의 주식을 매수했다면, 전기차와 친환경 에너지로의 전환을 지지하고 함께 성장하는 것입니다.

세계적인 투자자인 피터 린치는 이렇게 말했습니다.
"좋은 주식을 산다는 것은 그 기업과 함께 성장하는 것과 같다. 당신이 투자한 돈은 단순한 숫자가 아니라 기업의 꿈을 실현시키는 자본이 된다."

경제 성장의 동반자, 주식 시장의 매력

경제는 끊임없이 변화하며 성장합니다. 새로운 산업이 태어나고, 기존의 산업은 도태되기도 합니다. 주식 투자자는 이러한 경제 성장의 흐름에 참여하며 자산을 증식할 수 있는 기회를 가집니다.
- 과거에는 제조업과 중공업이 강세를 보였지만, 현재는 IT, 전기차, 그리고 AI가 주도하는 시대입니다.
- 테마주나 성장주를 통해 경제의 흐름을 따라가는 것도 주식 투자의 한 방법입니다.

주식, 나의 작은 자본으로 경제를 움직이다

한 번 생각해봅시다. 만약 1만 원으로 내가 좋아하는 스타벅스의 주식을 산다면, 그 돈은 어떻게 쓰일까요? 스타벅스는 그 돈으로 더 많은 매장을 열고, 새로운 메뉴를 개발하며, 직원들을 고용합니다. 당신의 투자는 단순히 수익을 넘어 기업의 성장과 경제 발전에 기여하는 도구가 되는 것입니다.

주식 투자로 경제를 이해하다

주식 시장을 들여다보면 경제의 흐름을 자연스럽게 읽을 수 있습니다.
- 유가가 상승하면 항공주가 하락하고, 에너지 기업이 상승합니다.
- 금리가 오르면 금융주가 강세를 보이는 반면, 성장주는 타격을 받습니다.

이러한 상관관계를 이해하면, 당신은 단순한 투자자를 넘어 경제의 흐름을 읽는 관찰자로 성장할 수 있습니다.

주식 투자는 단순히 돈을 불리는 것이 아니라, 경제 성장의 이야기에 동참하고 기업의 성공을 함께 만들어가는 과정입니다. 주식 시장이라는 창을 통해 경제를 더 깊이 이해하고, 그 성장의 열매를 함께 나눌 수 있는 준비를 시작해보세요. 투자자가 된다는 것은 단순한 돈의 주인이 되는 것을 넘어, 경제의 일부가 되는 것을 의미합니다. 이제, 당신의 돈으로 세상을 움직여볼 준비가 되셨나요?

1.3 성공적인 투자자가 되는 첫걸음

주식 투자, 도박일까 아니면 전략일까?

많은 사람들이 주식 투자를 "도박"이라고 생각합니다. 하지만 실제로 주식 투자와 도박은 완전히 다릅니다. 도박은 순전히 운에 의존하지만, 주식 투자는 기업의 성장 가능성, 시장 흐름, 그리고 전략적 판단을 바탕으로 합니다. 성공적인 투자자는 결코 운에 의존하지 않습니다. 대신 철저한 준비와 전략으로 시장에 접근합니다.

실패의 교훈: '닷컴 버블'과 '금융 위기'

2000년대 초반, IT 산업이 급성장하면서 '닷컴 버블'이 발생했습니다. 인터넷 기업들이 앞다투어 상장했고, 그들의 주가는 끝없이 치솟았습니다. 사람들이 너도나도 주식을 사들이면서 주가는 비정상적으로 상승했습니다. 그러나 기업들의 실적과 가치는 이 기대를 뒷받침하지 못했고, 결국 시장은 붕괴되었습니다.
대표적으로, 한때 1,000억 달러의 가치를 자랑했던 'AOL'은 급락하며 시장에서 사라졌습니다. 이 사건은 투자자들에게 "실적 없는 기대는 허상에 불과하다"는 교훈을 남겼습니다.
2008년의 글로벌 금융 위기도 마찬가지입니다. 부동산 거품과 과도한 파생상품 투자로 인해 금융시장이 붕괴했죠. 그러나 이 시기에도 차분히 시장을 분석하고, 가치 있는 기업에 투자한 사람들은 오히려 위기를 기회로 활용했습니다. 워런 버핏은 이 시기에 대형 금융주에 투자하며 "공포 속에서 기회를 찾는다"는 명언을 남겼습니다.

성공의 사례: 테슬라와 애플

반면, 혁신적인 기업에 장기적으로 투자한 사람들은 엄청난 성공을 경험했습니다. 테슬라는 2010년 IPO 당시 주당 17달러로 시작했지만, 지금은 1,000달러가 넘는 가치를 기록하며 전기차 혁명을 이끌고 있습니다.
애플 역시 마찬가지입니다. 1997년, 애플은 파산 직전의 위기를 겪었지만, 스티브 잡스가 복귀하고 아이폰을 출시하면서 주가는 폭발적으로 상승했습니다. 당시 애플 주식을 샀던 투자자들은 수천 배의 수익을 얻었습니다.
이런 사례들은 성공적인 투자는 '단기 차익'이 아니라, 기업의 가치를 믿고 장기적으로 함께 성장하는 과정임을 보여줍니다.

투자 성공을 위한 세 가지 핵심 원칙

1. 기업의 가치를 보라

피터 린치는 "당신이 이해하는 사업에 투자하라"고 말했습니다. 투자자는 단순히 주가 그래프를 보는 것이 아니라, 기업이 무엇을 하고 있는지, 어떤 가치를 창출하는지를 알아야 합니다. 예를 들어, 전기차와 친환경 에너지의 성장 가능성을 믿는다면 테슬라나 관련 기업에 투자하는 것이 논리적입니다.

2. 시장 흐름을 이해하라

성공적인 투자자는 단순히 주식을 사는 것이 아니라, 시장이 어떻게 움직이는지를 읽어야 합니다. 금리가 오르면 성장주보다 가치주가 유리할 수 있고, 유가가 상승하면 에너지 기업이 주목받을 수 있습니다. 시장의 역학 관계를 이해하면 더 나은 투자 결정을 내릴 수 있습니다.

3. 인내심을 가져라

워런 버핏은 "주식 시장은 돈이 조급한 사람에게서 인내심 있는 사람으로 이동하는 곳"이라고 말했습니다. 주식 투자는 단기적으로는 변동성이 크지만, 장기적으로는 기업의 성장과 함께 꾸준히 상승하는 특징이 있습니다. 성공적인 투자자는 시장의 단기적 혼란에 흔들리지 않고, 장기적인 비전을 가지고 투자합니다.

당신도 성공적인 투자자가 될 수 있다

주식 투자는 과거의 히스토리와 현재의 흐름을 읽고, 미래의 가능성을 믿는 과정입니다. 닷컴 버블과 금융 위기 같은 실패 사례를 통해 배울 점이 있는가 하면, 테슬라와 애플 같은 성공 사례를 통해 희망을 볼 수도 있습니다.
성공적인 투자자가 되는 길은 단순하지 않습니다. 하지만 철저한 준비와 끊임없는 학습, 그리고 흔들리지 않는 믿음이 있다면 당신도 시장에서 성공할 수 있습니다. 이제 이 책과 함께 첫걸음을 내딛어보세요. 당신의 투자 여정이 세상을 보는 새로운 눈을 열어줄 것입니다.

2. 주식시장의 이해

2.1 코스피와 코스닥: 어디에 투자할까?

코스피와 코스닥, 무슨 차이가 있을까?

박현우 씨는 주식 투자를 막 시작하려고 계좌를 열었지만, 바로 고민에 빠졌습니다.
“코스피? 코스닥? 둘 다 한국 주식인데 뭐가 다른 거지?”
많은 초보 투자자들이 이 질문에 직면합니다. 사실 코스피와 코스닥은 같은 한국 주식 시장에 속하지만, 각각의 성격과 매력은 크게 다릅니다. 이 둘을 이해하는 것은 주식 투자의 첫걸음을 내딛는 데 중요한 출발점입니다.

코스피: 대한민국 경제의 대표 선수들

코스피는 한국 주식 시장의 "국대" 같은 존재입니다. 삼성전자, 현대차, SK하이닉스와 같은 대기업들이 이 시장을 대표합니다. 코스피는 안정적이고 견고한 느낌을 줍니다.
- 삼성전자 이야기: 삼성전자는 반도체, 가전, 스마트폰 등 다양한 사업 분야에서 세계 1위를 다투는 회사입니다. 코스피 시장의 기둥이라고 할 수 있죠. 2000년대 초반, 많은 사람들이 삼성전자를 '비싸다'며 외면했지만, 지금은 '살 걸 그랬다'며 후회하는 투자자가 많습니다.
- 현대차 이야기: 1970년대에 설립된 현대차는 초기엔 품질 논란이 많았지만, 지금은 전기차로 글로벌 시장에서 돌풍을 일으키고 있습니다. 이런 대형 기업들은 코스피에서 쉽게 만날 수 있습니다.

코스닥: 혁신과 도전의 무대

코스닥은 말 그대로 새로운 도전자들의 무대입니다. 기술 혁신을 주도하는 IT, 바이오, 게임 분야의 중소형 기업들이 주로 상장되어 있습니다.
- 카카오게임즈 이야기: 모바일 게임 붐이 한창일 때, 카카오게임즈는 새로운 시장을 개척하며 성장했습니다. 특히 '우마무스메' 같은 인기 게임을 출시하며 코스닥 시장의 대표

적인 성장주로 떠올랐습니다.
- 셀트리온헬스케어 이야기: 바이오 분야에서 글로벌 경쟁력을 가진 셀트리온헬스케어는 코스닥 시장에서 시작해 지금은 코스피에 이름을 올린 성공 사례입니다. 성장 가능성이 큰 기업들이 코스닥에서 기회를 찾아 나갑니다.

코스피와 코스닥, 당신에게 맞는 선택은?

1. 안정성을 중시한다면 코스피

"나는 돈을 천천히, 꾸준히 불리고 싶어." 이런 투자자라면 코스피 대형주에 눈을 돌려야 합니다. 삼성전자, 현대차와 같은 기업들은 상대적으로 변동성이 적고, 배당금까지 지급하는 경우가 많아 장기 투자에 적합합니다.

2. 성장 가능성을 보고 싶다면 코스닥

"위험이 있더라도, 큰 수익을 얻고 싶어!" 그렇다면 코스닥의 성장주에 주목하세요. 기술 혁신이나 미래 트렌드에 맞춘 기업들이 많아 높은 수익률을 기대할 수 있습니다. 다만, 코스닥은 변동성이 크기 때문에 철저한 분석과 분산투자가 필요합니다.

재미있는 투자자의 고민 이야기

10년 전, 한 투자자가 고민에 빠졌습니다.
"삼성전자를 살까? 아니면 코스닥의 작은 바이오 회사를 살까?"
결국 그는 두 개의 선택지를 모두 투자하기로 했습니다. 결과는 어땠을까요?
- 삼성전자: 안정적으로 성장하며 꾸준히 배당금을 지급해줬습니다. 그의 자산은 5배로 불어났습니다.
- 코스닥의 바이오 회사: 큰 변동성을 겪으며 초반엔 손실이 났지만, 결국 혁신적인 신약 개발에 성공하며 주가가 20배 이상 올랐습니다.

이 사례는 코스피와 코스닥이 서로 다른 매력을 가지고 있다는 점을 잘 보여줍니다.

당신의 투자 스타일에 맞는 시장을 찾아라

코스피와 코스닥은 선택의 문제가 아닙니다. 각 시장의 특성을 이해하고, 당신의 투자 스타일에 맞게 접근하는 것이 중요합니다. 안정성과 배당을 원한다면 코스피, 성장 가능성과 도전을 원한다면 코스닥이 적합할 수 있습니다. 때로는 두 시장의 장점을 모두 활용하는 전략도 좋습니다.

투자라는 여정에서 코스피와 코스닥은 각각의 색깔을 가진 두 개의 문입니다. 당신은 어떤 문을 먼저 열어보고 싶나요?

2.2 주식시장의 주요 플레이어들

주식 시장의 무대, 다양한 주인공들

주식 시장은 단순히 기업과 개인 투자자만의 공간이 아닙니다. 이곳에는 다양한 플레이어들이 각자의 목표와 전략으로 활동하며 시장의 흐름을 만들어갑니다. 이 장에서는 주식 시장을 움직이는 주요 플레이어들과 그들이 시장에 미치는 영향을 알아보겠습니다.

1. 개미 투자자: 시장의 주춧돌

개미 투자자는 바로 우리 같은 개인 투자자들입니다. 비록 한 사람의 영향력은 크지 않지만, 개미 투자자는 전체 시장 거래량의 상당 부분을 차지하며 중요한 역할을 합니다.
- 사례: 2021년 초, 미국에서 "게임스탑 사태"가 발생했습니다. 개인 투자자들이 레딧(온라인 커뮤니티)을 통해 협력해 대형 헤지펀드에 맞섰고, 게임스탑 주가는 단기간에 폭등했습니다. 이는 개인 투자자도 시장에 강력한 영향을 미칠 수 있음을 보여준 대표적인 사례입니다.

2. 기관 투자자: 시장의 큰손

기관 투자자는 연기금, 펀드 매니저, 보험사 등 대규모 자금을 운용하는 플레이어들입니다. 이들은 시장에 큰 영향을 미칠 수 있는 자금력을 가지고 있습니다.
- 사례: 국민연금은 한국에서 가장 큰 기관 투자자로, 삼성전자나 SK하이닉스와 같은 대형 기업의 주식을 대량 보유하고 있습니다. 국민연금이 특정 기업의 주식을 매도하거나 매수하면 시장 전체의 흐름이 달라질 정도로 막대한 영향력을 행사합니다.

3. 외국인 투자자: 글로벌 머니플로우의 주역

외국인 투자자는 글로벌 자금을 한국 시장에 유입시키거나 유출시키는 중요한 역할을 합니다. 이들은 주로 코스피 대형주에 관심이 많으며, 한국 경제에 대한 신뢰도를 반영합니다.

- 사례: 2020년 팬데믹 초기, 외국인 투자자들은 대량 매도를 통해 한국 시장의 하락세를 이끌었습니다. 하지만 몇 달 뒤, 반도체 산업에 대한 긍정적인 전망이 커지자 삼성전자와 SK하이닉스를 대량 매수하며 시장 회복을 주도했습니다.

4. 알고리즘 트레이더: 보이지 않는 손

알고리즘 트레이더는 컴퓨터 프로그램과 AI를 이용해 초고속으로 매수와 매도를 반복하며 시장에 참여하는 플레이어입니다. 이들은 초단타 매매를 통해 미세한 가격 변동에서도 수익을 추구합니다.
- 사례: 2010년 미국에서 발생한 "플래시 크래시"는 알고리즘 트레이딩이 시장에 미친 영향을 보여줍니다. 단 몇 분 만에 다우존스 지수가 1,000포인트 가까이 급락했다가 다시 회복한 사건으로, 알고리즘이 서로를 자극하며 발생한 초유의 일이었습니다.

5. 정부와 중앙은행: 보이지 않는 조정자

정부와 중앙은행은 주식 시장의 직접적인 참여자는 아니지만, 정책과 규제를 통해 시장의 안정성을 유지하는 역할을 합니다.
- 사례: 2020년, 미국 연방준비제도(Fed)는 팬데믹으로 인한 경제 충격을 완화하기 위해 대규모 양적 완화 정책을 시행했습니다. 이로 인해 유동성이 풍부해지면서 주식 시장은 빠르게 회복했고, 나스닥 지수는 사상 최고치를 기록했습니다.

시장을 이해하면 투자도 보인다

이처럼 주식 시장은 다양한 플레이어들의 상호작용으로 움직입니다.
- 개미 투자자는 작은 자금으로도 시장의 다양성을 더하며,
- 기관 투자자는 안정성과 전문성을 제공합니다.
- 외국인 투자자는 글로벌 머니플로우를 반영하며,
- 알고리즘 트레이더는 새로운 기술과 효율성을 도입합니다.

각 플레이어가 어떤 방식으로 움직이는지 이해하면, 시장의 흐름을 더 잘 읽고 투자에

활용할 수 있습니다.

당신은 어떤 플레이어가 될 것인가?

주식 시장은 누구에게나 열려 있습니다. 하지만 단순히 참여하는 것만으로는 성공할 수 없습니다. 시장의 주요 플레이어들이 어떤 의사결정을 내리고, 어떻게 시장을 움직이는지를 이해하는 것이 성공적인 투자의 첫걸음입니다. 이제 당신은 이 플레이어들을 관찰하며, 나만의 투자 전략을 세울 준비가 되었나요?

2.3 시장이 움직이는 원리와 흐름

주식 시장, 어떤 원리로 움직일까?

주식 시장은 마치 살아 있는 생물과도 같습니다. 하루하루 다르게 움직이며, 그 속에서 수많은 사람들이 거래를 합니다. 하지만 정작 "왜 시장이 이렇게 움직이는 걸까?"라고 묻는다면, 많은 투자자들이 명확히 답하지 못합니다. 이 장에서는 주식 시장이 어떤 원리로 움직이고, 무엇이 시장의 흐름을 결정하는지 쉽게 설명해보겠습니다.

1. 수요와 공급: 시장의 기본 원리

주식 시장은 기본적으로 수요와 공급의 원리로 움직입니다.
- 사고 싶어 하는 사람이 많으면?
  주식의 가격이 올라갑니다.
- 팔고 싶어 하는 사람이 많으면?
  주식의 가격이 내려갑니다.

쉽게 말해, 시장은 투자자들의 심리를 반영하며 움직이는 거대한 거래소입니다.
예를 들어, 어떤 회사가 획기적인 신제품을 발표했다면, 많은 사람들이 그 회사의 미래를 긍정적으로 보고 주식을 사려 할 것입니다. 반대로, 실적이 나쁘거나 스캔들이 터진다면 매도세가 강해지면서 주가가 떨어질 수 있죠.

2. 주식 시장의 심장: 지수

시장 전체의 흐름은 개별 주식이 아닌 지수를 통해 측정됩니다.
- 코스피는 한국 경제를 대표하는 대형주들의 성과를 보여줍니다.
- 코스닥은 기술주와 중소형주의 흐름을 나타냅니다.

사례 이야기
2020년 팬데믹이 시작되면서 코스피 지수는 1,400선까지 급락했지만, 곧이어 삼성전자와 SK하이닉스 같은 대형 기술주의 강세로 3,000선을 돌파하며 사상 최고치를 기록했습니다. 지수는 개별 주식의 흐름을 종합적으로 보여주는 중요한 기준입니다.

3. 시장을 움직이는 다섯 가지 힘

1. 경제 지표

금리, 물가, 실업률 등 경제 지표는 시장에 큰 영향을 미칩니다.

- 금리가 낮아지면 기업의 대출 비용이 줄어들어 이익이 늘어나고, 주가는 상승합니다.
- 반대로 금리가 오르면 돈이 채권으로 몰리면서 주식 시장이 위축됩니다.

2. 기업 실적

기업의 실적 발표는 주가를 움직이는 가장 직접적인 요소입니다.

- 애플이 분기 실적에서 아이폰 매출이 급증했다고 발표하면, 애플 주식은 상승합니다.
- 반대로, 기대에 못 미치는 실적을 발표하면 주가는 하락할 수 있습니다.

3. 정치적 사건

선거, 전쟁, 무역 분쟁 같은 사건은 시장의 심리에 큰 영향을 미칩니다.

- 미국 대선 기간에는 정책 변화 가능성 때문에 주가 변동성이 커지곤 합니다.
- 예를 들어, 전쟁이 발생하면 방산주가 급등하고, 관광 관련 주식은 하락하는 경향이 있습니다.

4. 투자자 심리

시장은 논리적으로 움직이는 것 같지만, 실제로는 투자자들의 감정에 크게 좌우됩니다.

- 낙관적인 분위기가 형성되면 주식 시장은 과열될 수 있습니다(예: 닷컴 버블).
- 반대로 공포가 퍼지면 투자자들이 한꺼번에 매도하며 시장이 급락합니다(예: 금융위기).

5. 글로벌 흐름

주식 시장은 국내 요인뿐 아니라 글로벌 시장의 영향을 많이 받습니다.

- 미국의 연방준비제도(Fed)가 금리를 인상하면, 글로벌 자금이 한국 시장에서 빠져

나가면서 코스피가 하락할 수 있습니다.

  - 유가, 환율, 국제 무역 상황도 시장에 큰 영향을 미칩니다.

4. 시장의 흐름을 읽는 법

시장은 단순히 숫자가 오르내리는 공간이 아닙니다. 시장의 흐름을 읽는다는 것은 경제, 기업, 그리고 사람들의 심리를 이해하는 것을 의미합니다.

- 뉴스와 데이터를 활용하라: 경제 지표와 기업 실적 발표는 시장의 중요한 신호입니다.
- 다양한 관점을 가져라: 국내 시장뿐 아니라 글로벌 시장과의 연관성을 이해해야 합니다.
- 장기적인 안목을 키워라: 단기적인 변동성에 흔들리지 않고 큰 흐름을 보려는 자세가 필요합니다.

당신은 어떤 투자자가 될 것인가?

주식 시장은 복잡해 보일 수 있지만, 결국 그 중심에는 사람들의 심리와 경제의 원리가 자리 잡고 있습니다. 이제 당신은 시장이 어떻게 움직이고, 무엇이 그 흐름을 결정하는지 조금은 이해할 수 있을 겁니다. 이 흐름을 읽고 활용하는 능력이야말로 성공적인 투자자로 성장하는 열쇠입니다. 시장의 파도를 타고, 당신만의 투자 항해를 시작해보세요!

3. 주식투자에 필요한 기본 용어

3.1 주가와 배당: 수익의 기본

주식 투자, 돈은 어디서 생길까?

주식 투자를 시작하면 가장 먼저 떠오르는 질문 중 하나가 바로 이겁니다.
“내가 주식을 사면 돈은 어디서 나오는 거지?”
주식 투자로 얻는 수익은 크게 두 가지로 나눌 수 있습니다: 주가 상승과 배당. 이 두 가지를 이해하는 것은 성공적인 투자로 가는 첫걸음입니다.

1. 주가 상승: 싸게 사서 비싸게 판다

주식 투자의 가장 기본적인 수익 구조는 간단합니다. 싸게 사서 비싸게 파는 거죠.
- 예시:
 김철수 씨가 1만 원짜리 주식을 10주 샀습니다. 몇 달 후, 이 주식의 가격이 2만 원으로 올랐습니다. 철수 씨가 이 주식을 팔았다면 10만 원의 이익을 얻은 겁니다.

주가가 오르는 이유는 다양한데, 대표적인 경우는 다음과 같습니다:
1. 기업이 돈을 잘 벌어서 실적이 좋아질 때.
2. 새로운 제품이나 서비스로 미래 전망이 밝을 때.
3. 경제 상황이 좋아져 전체 시장이 상승할 때.

흥미로운 사례
테슬라 주식은 2010년 IPO 당시 17달러였지만, 전기차 시장의 급성장으로 인해 주가는 1,000달러를 넘겼습니다. 초기 투자자들은 수백 배의 수익을 거두었습니다.

2. 배당: 기업이 돈을 나눠준다

배당은 주식을 가진 투자자들에게 기업이 이익의 일부를 나눠주는 것을 말합니다.

- 예시:
  이지혜 씨는 1주당 배당금이 1,000원인 회사의 주식을 100주 가지고 있습니다. 이 경우, 지혜 씨는 연간 10만 원의 배당금을 받을 수 있습니다.

배당을 주는 기업은 대체로 안정적인 대기업이나 실적이 좋은 회사들입니다.
- 배당주의 장점:
  주가가 크게 오르지 않더라도 배당을 통해 꾸준히 수익을 얻을 수 있습니다.
- 대표적 배당주:
  국내에서는 삼성전자, 해외에서는 코카콜라와 존슨앤드존슨 같은 기업이 꾸준히 배당금을 지급합니다.

흥미로운 이야기
워런 버핏은 코카콜라의 배당으로만 매년 수천만 달러를 벌어들입니다. 그는 이렇게 말했습니다:
“배당은 투자자가 잠을 자는 동안에도 돈을 벌게 해주는 최고의 방법이다.”

주가와 배당, 어떤 것이 더 중요할까?

주가 상승과 배당 중 어떤 것이 더 중요하냐는 질문에 대한 답은 투자자의 스타일에 따라 달라집니다.
1. 주가 상승을 중시하는 투자자
   - 성장 가능성이 높은 기업에 투자합니다.
   - 예: IT 기업, 스타트업 등.
2. 배당을 중시하는 투자자
   - 안정적이고 꾸준히 돈을 버는 기업에 투자합니다.
   - 예: 금융주, 에너지 기업 등.

재미있는 투자 전략: 배당으로 주식 다시 사기

일부 투자자들은 배당으로 받은 돈을 다시 그 회사의 주식을 사는 전략을 사용합니다.

- 예시:
  박민수 씨는 삼성전자에서 배당으로 받은 50만 원으로 삼성전자 주식을 다시 삽니다. 이렇게 하면 배당이 쌓일수록 주식 수가 늘어나고, 더 많은 배당을 받을 수 있습니다. 이는 복리 효과를 극대화하는 방법 중 하나입니다.

주식으로 돈을 번다는 것

주식 투자로 돈을 번다는 것은 단순히 한 번의 매매로 끝나는 것이 아닙니다.
- 주가 상승은 시장과 기업의 성장에 동참하는 과정이고,
- 배당은 기업이 벌어들인 이익을 나누는 즐거움입니다.

이 두 가지를 이해하고 활용하면, 주식 투자라는 여정을 더욱 의미 있게 만들 수 있습니다. 이제 당신은 주가와 배당의 기본 원리를 알게 되었습니다. 다음으로, 어떤 기업에 투자해야 할지 더 깊이 알아볼까요?

3.2 PER, PBR, EPS: 기업을 평가하는 기준

주식 투자, 어떤 주식을 사야 할까?

주식 시장에 수많은 종목이 있지만, 모든 주식이 좋은 투자처는 아닙니다. 어떤 주식을 사야 할지 판단하려면, 기업의 가치를 제대로 평가할 수 있어야 합니다. 여기서 중요한 역할을 하는 것이 바로 PER, PBR, 그리고 EPS입니다. 이 세 가지는 기업의 건강 상태와 미래 가능성을 보여주는 지표입니다. 어렵게 느껴질 수 있지만, 한 번 이해하면 실전에서 강력한 무기가 됩니다.

1. PER(주가수익비율): 이 주식이 비싼가, 싼가?

PER = 주가 / 주당 순이익(EPS)
PER은 현재 주가가 그 기업이 벌어들이는 수익(EPS)의 몇 배에 거래되고 있는지를 보여줍니다.
- PER이 높다: 시장에서 그 기업의 미래 성장 가능성을 높게 평가하고 있습니다.
- PER이 낮다: 기업이 현재 저평가되었거나, 성장성이 낮다고 판단될 수 있습니다.

실전 활용법
1. 비슷한 산업 내 기업의 PER을 비교합니다.
   예: A기업의 PER이 10배, B기업의 PER이 20배라면, A기업이 상대적으로 저평가되었을 가능성이 있습니다.
2. 성장주와 가치주의 특성을 고려합니다.
   - 성장주: PER이 높더라도 성장 가능성이 크다면 매력적일 수 있습니다.
   - 가치주: PER이 낮다면 저평가된 기회를 잡을 가능성이 있습니다.

사례
테슬라의 PER은 한때 100배가 넘기도 했습니다. "너무 비싸다"는 비판도 많았지만, 전기차 시장의 성장 가능성 덕분에 투자자들은 이를 받아들였습니다. 반면, 전통 제조업체의 PER은 보통 10~15배 수준으로 안정적입니다.

2. PBR(주가순자산비율): 이 회사가 가진 자산 대비 주가는 적당한가?

PBR = 주가 / 주당 순자산

PBR은 기업의 순자산(자산에서 부채를 뺀 값) 대비 주가가 얼마나 높은지를 보여줍니다.
- PBR이 1보다 낮다: 기업의 자산 가치에 비해 주가가 낮아 저평가되었을 가능성이 있습니다.
- PBR이 1보다 높다: 시장에서 그 기업의 자산 외에도 추가적인 가치를 인정받고 있습니다.

실전 활용법
1. 자산 중심 산업에서 유용합니다.
  - 금융, 제조업처럼 자산이 중요한 산업에서는 PBR이 낮은 기업을 찾는 것이 효과적입니다.
2. PBR 1 이하의 기업을 주목하세요.
  - 특히 침체된 시장에서는 PBR이 1 이하로 내려가는 기업이 많아 기회를 포착할 수 있습니다.

사례
2008년 금융 위기 당시, 금융주들의 PBR이 1 이하로 떨어졌습니다. 그러나 위기 이후 안정성을 회복하며 주가는 급등했습니다. 당시 저평가된 금융주를 매수한 투자자들은 큰 수익을 얻었습니다.

3. EPS(주당 순이익): 이 회사는 돈을 얼마나 잘 버는가?

EPS = 순이익 / 발행주식 수

EPS는 기업이 실제로 주당 얼마나 많은 수익을 내고 있는지를 보여줍니다.
- EPS가 높다: 기업이 안정적으로 돈을 잘 벌고 있다는 뜻입니다.
- EPS가 낮다: 기업의 이익이 적거나, 적자를 기록할 가능성이 있습니다.

실전 활용법

1. EPS의 성장률을 확인하세요.
   - 현재 EPS만 보는 것이 아니라, 과거와 비교해 얼마나 성장했는지 살펴보세요.
2. 배당주 선택에 활용하세요.
   - 배당을 많이 지급하는 기업은 보통 EPS가 높고 안정적입니다.

사례

팔란티어 테크놀로지(Palantir)는 최근까지 EPS가 낮거나 적자를 기록했지만, 장기적인 데이터 분석 시장의 성장 가능성을 보고 투자한 사람들이 많습니다. 반면, 코카콜라 같은 기업은 안정적인 EPS와 배당으로 꾸준히 사랑받고 있습니다.

4. 이 세 가지를 어떻게 활용할까?

PER, PBR, EPS는 각각 중요한 지표이지만, 단독으로만 사용해서는 안 됩니다.

- PER + EPS: 주가가 적당한지, 성장 가능성이 있는지를 평가합니다.
- PBR + PER: 자산 대비 주가가 저평가되었는지 판단합니다.
- EPS + 배당: 안정적 수익을 주는 기업을 찾습니다.

투자 팁

1. 성장 산업에서는 PER을 우선적으로 보고,
2. 자산 중심 산업에서는 PBR을 중점적으로 살피며,
3. 배당주 투자를 원한다면 EPS를 확인하세요.

5. 숫자는 이야기다

PER, PBR, EPS는 단순한 숫자가 아닙니다. 이 숫자들은 기업의 가치를 이해하는 이야기를 담고 있습니다. 실전에서 이 지표들을 적절히 활용하면, 단순히 "오를 것 같은 주식"을 사는 것이 아니라, "가치 있는 주식"을 살 수 있습니다. 당신의 다음 투자, 이 숫자들을 활용해보세요. 성공적인 투자의 문이 열릴 것입니다!

3.3 차트와 이동평균선, 실전에서의 활용

주식 차트, 미래를 읽는 나침반

주식 시장에서 차트는 투자자들에게 미래의 흐름을 예측할 수 있는 중요한 도구입니다. 차트는 주가의 움직임을 한눈에 보여주며, 투자자가 언제 사고팔지 결정하는 데 도움을 줍니다. 이 장에서는 차트와 이동평균선을 활용해 실전에서 유용하게 사용할 수 있는 방법을 알아보겠습니다.

1. 차트의 기본: 양봉과 음봉

차트의 가장 기본적인 구성 요소는 바로 캔들(양봉과 음봉)입니다.
- 양봉: 주가가 상승한 날. 시작 가격보다 마감 가격이 높을 때 생성됩니다.
- 음봉: 주가가 하락한 날. 시작 가격보다 마감 가격이 낮을 때 생성됩니다.

실전 팁
양봉이 연속적으로 나타나면 상승 추세일 가능성이 높습니다. 반대로 음봉이 계속 나타난다면 하락 추세를 의심해볼 수 있습니다.

사례 이야기
2020년 팬데믹 초기, 삼성전자 주가는 음봉이 지속적으로 나타나며 하락했습니다. 하지만 3월 이후 양봉이 연속적으로 나오기 시작했고, 이는 시장 회복의 신호였습니다. 이때 매수에 나선 투자자들은 큰 수익을 얻을 수 있었습니다.

2. 이동평균선, 시장의 흐름을 읽는 도구

이동평균선(Moving Average)은 일정 기간 동안의 주가 평균을 선으로 나타낸 것입니다.
- 단기 이동평균선(5일, 10일): 최근의 주가 흐름을 보여줍니다.
- 중기 이동평균선(20일, 60일): 중간 기간의 추세를 파악할 수 있습니다.

- 장기 이동평균선(120일, 200일): 장기적인 시장의 방향성을 알려줍니다.

실전 활용법

1. 골든 크로스

단기 이동평균선이 장기 이동평균선을 위로 돌파하는 현상입니다. 상승 추세의 신호로 간주됩니다.

- 예: 20일 이동평균선이 60일 이동평균선을 위로 뚫을 때, 주식을 매수할 기회로 봅니다.

2. 데드 크로스

단기 이동평균선이 장기 이동평균선을 아래로 돌파하는 현상입니다. 하락 추세의 신호로 간주됩니다.

- 예: 60일 이동평균선이 120일 이동평균선을 아래로 뚫을 때, 주식을 매도하거나 관망해야 할 시점으로 봅니다.

사례 이야기

2021년, 코스피가 2,500선을 돌파했을 때, 많은 종목에서 골든 크로스가 나타났습니다. 이를 신호로 매수에 나섰던 투자자들은 상승장의 혜택을 톡톡히 누릴 수 있었습니다.

3. 차트 패턴의 활용

차트에는 특정한 패턴이 반복적으로 나타나며, 이를 활용하면 주가의 방향성을 예측할 수 있습니다.

1. 머리와 어깨 패턴
   - 상승 후 주가가 정점을 찍고 하락하는 모양. 하락 추세의 신호로 간주됩니다.
   - 실전 활용: 이 패턴이 나타나면 주식을 매도하거나 관망하는 것이 좋습니다.

2. 이중 바닥(W 패턴)
   - 주가가 두 번 바닥을 찍고 반등하는 모양. 상승 추세의 신호로 간주됩니다.
   - 실전 활용: 이 패턴이 나타날 때 매수 기회를 잡으세요.

사례 이야기
2020년 초, 테슬라 주가는 W 패턴을 형성한 뒤 급등했습니다. 이 패턴을 놓치지 않은 투자자들은 큰 수익을 얻었습니다.

4. 차트 활용의 주의점

1. 차트는 참고 자료일 뿐이다

차트는 과거의 데이터를 기반으로 하기 때문에 미래를 100% 예측할 수는 없습니다. 기업의 실적, 시장의 흐름, 글로벌 경제 상황도 함께 고려해야 합니다.

2. 너무 많은 지표에 의존하지 말자

차트에 지나치게 많은 지표를 추가하면 오히려 혼란스러워질 수 있습니다. 이동평균선, 볼린저 밴드 등 몇 가지 핵심 지표에 집중하세요.

3. 단기 변동성에 흔들리지 말자

단기적인 차트의 변동성에 휘둘리다 보면 장기적인 성장 가능성을 놓칠 수 있습니다.

차트와 이동평균선으로 투자에 날개를 달다

차트와 이동평균선은 주식 시장에서 투자자의 길잡이가 되어줍니다.
- 차트는 주가의 과거 흐름을 보여주며,
- 이동평균선은 현재의 방향성을 파악하게 해줍니다.

이제 당신도 차트와 이동평균선을 활용해 주식 시장에서 더 자신감 있게 움직일 수 있습니다. 다음 투자에서는 이 도구들을 적극적으로 활용해보세요. 시장의 흐름을 읽는 당신의 안목이 한 단계 성장할 것입니다!

4. 계좌 개설부터 첫 매매까지

4.1 주식 계좌 개설 절차

주식 투자, 첫걸음은 계좌에서 시작한다

주식 투자를 하려면 가장 먼저 해야 할 일은 주식 계좌를 개설하는 것입니다. 계좌는 주식을 사고팔기 위한 필수 도구이자, 투자자의 출발점입니다. 한 번만 제대로 개설해두면 평생 사용할 수 있으니, 차근차근 따라오세요. 이 장에서는 초보자도 쉽게 이해할 수 있도록 주식 계좌 개설 과정을 하나씩 설명하겠습니다.

1. 주식 계좌는 어디서 만들까?

주식 계좌는 증권사를 통해 만들 수 있습니다. 한국에는 삼성증권, 미래에셋증권, 키움증권, NH투자증권 등 다양한 증권사가 있습니다.
- 온라인 증권사: HTS(MTS)를 중심으로 운영되며, 수수료가 저렴합니다. 예: 키움증권, 한국투자증권.
- 전통 증권사: 지점 방문이 가능하며, 맞춤형 상담을 받을 수 있습니다. 예: 삼성증권, NH투자증권.

실전 팁
초보 투자자라면 온라인 증권사를 선택해 비용을 아끼고, 필요에 따라 전통 증권사를 병행해 상담을 받는 것도 좋은 방법입니다.

2. 계좌 개설에 필요한 준비물

계좌 개설을 위해 다음 준비물이 필요합니다:
1. 신분증: 주민등록증이나 운전면허증.
2. 본인 명의 은행 계좌: 증권 계좌와 연결할 은행 계좌.
3. 스마트폰: 비대면 계좌 개설 시 필요.

3. 계좌 개설 방법

1) 비대면으로 계좌 개설하기 (가장 쉬운 방법)

비대면 계좌 개설은 스마트폰 앱을 통해 몇 분 만에 간단히 완료할 수 있습니다.
1. 증권사의 공식 앱을 다운로드합니다.
   - 예: 키움증권의 영웅문, NH투자증권의 나무.
2. 앱에서 '계좌 개설' 메뉴를 선택합니다.
3. 신분증 사진을 찍어 인증합니다.
4. 본인 명의 은행 계좌를 등록합니다.
5. 휴대폰 본인 인증 절차를 완료합니다.
6. 계좌 개설 완료!

실전 팁
- 앱 설치 후 이벤트를 확인하세요. 신규 계좌 개설 시 수수료 할인 또는 소액 증권 지원 혜택을 제공하는 경우가 많습니다.
- 여러 증권사의 계좌를 개설해 각기 다른 이벤트를 활용하는 것도 좋은 방법입니다.

2) 지점을 방문해 계좌 개설하기

비대면 개설이 어렵거나 직접 상담을 받고 싶다면 증권사 지점을 방문하세요.
1. 가까운 증권사 지점을 방문합니다.
2. 상담사와의 상담을 통해 계좌를 개설합니다.
3. 은행 계좌와 연결 후 사용이 가능합니다.

실전 팁
- 고액 자산을 운용하거나 복잡한 투자 전략을 구사하고 싶다면 지점 방문을 추천합니다.
- 상담 과정에서 본인에게 적합한 투자 상품이나 프로그램에 대해 조언을 받을 수 있습니다.

4. 주식 계좌를 열었다면 이제 할 일

계좌 개설 후에는 다음 단계를 따라 투자 준비를 완성하세요:

1. HTS(MTS) 설치 및 사용법 익히기
   - 증권사의 프로그램(HTS) 또는 앱(MTS)을 설치하세요.
   - 로그인 후 계좌 정보를 확인하고, 주식 매매 화면에 익숙해집니다.
2. 예수금 입금하기
   - 주식을 매수하려면 계좌에 자금을 입금해야 합니다.
   - 소액부터 시작해도 괜찮습니다.
3. 첫 종목 분석과 매수 준비
   - 코스피와 코스닥을 탐색하며, 관심 종목을 추가하세요.

5. 재미있는 계좌 개설 이야기

박현수 씨는 주식 투자를 결심하고 키움증권 앱을 설치했습니다. 계좌를 개설한 뒤, 신규 가입 이벤트로 받은 5천 원으로 처음 주식을 매수했습니다. 그는 작은 금액이었지만, 첫 투자를 통해 주식 시장의 흐름을 느낄 수 있었다고 합니다.

"계좌를 열고 첫 주식을 샀을 때, 내가 이제 주식 시장에 들어왔다는 느낌이 들었어요. 작은 시작이었지만 큰 경험이었죠."

주식 계좌, 투자 여정의 첫 단추

주식 계좌는 단순히 돈을 넣고 빼는 도구가 아닙니다. 이는 투자자로서의 첫 발걸음을 내딛는 상징이기도 합니다. 계좌를 개설하고, 매매 프로그램을 익히는 것은 시작에 불과합니다. 이제 본격적으로 주식 시장에서의 여정을 준비하세요. 다음 단계에서는 첫 매매를 통해 진짜 투자자로 거듭나는 방법을 알아볼 차례입니다!

4.2 HTS와 MTS: 실전 매매의 시작

주식 매매, 어디서부터 시작할까?

주식 투자를 하려면 매매를 할 수 있는 도구를 먼저 익혀야 한다. 바로 HTS(Home Trading System)와 MTS(Mobile Trading System)이다.
HTS는 PC 기반의 프로그램으로 정교한 기능을 제공하며, MTS는 스마트폰 앱으로 언제 어디서나 간편하게 주식을 거래할 수 있게 해준다. 이 장에서는 HTS와 MTS를 설치하고 사용하는 방법, 그리고 실전에서 어떻게 활용할 수 있는지 알아보자.

1. HTS: 컴퓨터로 분석부터 매매까지

HTS는 주식 시장의 흐름을 분석하고, 다양한 데이터를 활용하며, 정교하게 매매할 수 있는 도구다. 주식 초보자에게는 조금 복잡하게 느껴질 수 있지만, 차근차근 익혀두면 매우 유용하다.

- 설치 방법
  1. 사용하려는 증권사의 공식 홈페이지에 접속한다.
  2. HTS 프로그램을 다운로드하고 설치한다.
  3. 설치 후 계좌 정보를 입력하고 로그인한다.

- HTS 주요 기능
  - 주가와 거래량의 실시간 확인
  - 다양한 차트 도구를 통한 기술적 분석
  - 뉴스와 공시 정보를 통한 종목 분석
  - 매수 및 매도 주문 실행

- 활용 팁
  1. 기본 화면을 설정한다: 관심 종목, 차트, 주문 화면 등을 자신이 보기 편한 방식으로 배치한다.

2. 차트 분석 도구를 활용한다: 이동평균선, 거래량 지표 등을 설정해 매매 타이밍을 판단한다.

2. MTS: 손안의 주식 거래소

MTS는 스마트폰에서 사용할 수 있는 주식 거래 앱이다. PC 앞에 있을 시간이 부족하거나 이동 중에도 거래를 해야 하는 투자자들에게 최적화된 도구다.

- 설치 방법
  1. 스마트폰 앱 스토어에서 증권사의 공식 앱을 다운로드한다.
  2. 앱을 실행하고 계좌 정보를 등록한다.
  3. 본인 인증 절차를 완료하면 바로 사용할 수 있다.
- MTS 주요 기능
  - 간편하게 관심 종목 등록 및 실시간 확인
  - 매수, 매도 주문 실행
  - 은행 계좌와 연결하여 자금 입출금
  - 목표가 도달 알림 등 알림 설정
- 활용 팁
  1. 이동 중에도 매매를 실행할 수 있어 단기 투자자들에게 유용하다.
  2. 간단하고 직관적인 인터페이스를 활용해 빠르게 거래할 수 있다.

3. HTS와 MTS의 장단점

- HTS의 장점
  - 세밀한 차트 분석과 다양한 데이터 제공
  - 고급 투자 전략 실행 가능
- HTS의 단점
  - 초보자에게는 인터페이스가 복잡하게 느껴질 수 있다.
  - PC 환경에서만 사용할 수 있다.
- MTS의 장점

- 스마트폰만 있으면 언제 어디서나 거래 가능
- 간단하고 직관적인 사용법

- MTS의 단점
  - HTS에 비해 분석 도구가 제한적이다.
  - 세밀한 매매 전략 실행에는 다소 불리할 수 있다.

4. 초보자를 위한 실전 매매 팁

1. 관심 종목을 설정하라
   매매를 고려하는 종목을 MTS나 HTS의 관심 목록에 추가해 실시간으로 주가를 확인하자.

2. 모의 투자로 연습하라
   많은 증권사에서 제공하는 모의 투자 기능을 활용해 실제 돈을 쓰기 전에 매매 연습을 해보자.

3. 주문 방식을 이해하라
   - 지정가 주문: 원하는 가격에 주식을 사고팔 수 있다.
   - 시장가 주문: 현재 시장 가격으로 즉시 거래한다.

HTS와 MTS, 투자자의 필수 도구

HTS와 MTS는 각각의 장단점이 있지만, 투자자가 시장을 분석하고 매매를 실행하는 데 없어서는 안 될 도구다.
- 차트 분석과 정교한 매매 전략을 세우고 싶다면 HTS를 활용하자.
- 간단하고 빠른 거래가 필요하다면 MTS를 선택하자.

초보자라면 먼저 MTS를 사용해 기본 매매 과정을 익히고, HTS로 분석과 전략을 확장해보는 것을 추천한다. 이 도구들을 잘 활용하면 주식 시장에서 한 걸음 더 나아갈 수 있을 것이다. 이제, 당신도 실전 매매를 시작할 준비가 되었는가?

4.3 첫 매매에서 반드시 알아야 할 팁

첫 매매, 설렘과 두려움의 시작

처음으로 주식을 매수하거나 매도할 때는 누구나 설렘과 동시에 두려움을 느낍니다.
"이 주식을 사도 될까? 지금이 맞는 타이밍일까?"
이런 고민은 초보 투자자라면 당연히 느끼는 감정입니다. 하지만 첫 매매를 성공적으로 시작하려면 몇 가지 핵심 원칙과 실전 팁을 반드시 알아야 합니다. 이 장에서는 첫 매매를 준비하는 방법과 반드시 피해야 할 실수를 소개합니다.

1. 첫 매매 전에 반드시 체크해야 할 것

1) 투자할 금액을 정하라
- 첫 매매는 반드시 소액으로 시작해야 합니다.
- 생활비나 예비 자금을 투입하지 말고, 여유 자금으로만 투자하세요.
- 예: 100만 원 이하의 소액으로 연습 삼아 시작.

2) 목표를 명확히 하라
- 매매 전에 "왜 이 주식을 사고 싶은지" 스스로에게 질문해보세요.
- 예: 단기 차익을 노릴 것인지, 장기 투자로 성장 가능성을 볼 것인지.

3) 종목을 분석하라
- 첫 매매는 대형주나 안정적인 종목으로 시작하는 것이 좋습니다.
- 예: 삼성전자, SK하이닉스 같은 코스피 대형주.

2. 첫 매수, 이렇게 하라

1) 소량으로 시작하라
첫 매매에서는 한 번에 많은 돈을 투자하지 말고 소량 매수로 시장에 익숙해지세요.
- 예: 삼성전자 1주, 카카오 2주.

2) 지정가 주문 활용하기

- 지정가 주문은 내가 원하는 가격에 주식을 사고팔 수 있는 방식입니다.
- 예: 현재 주가가 5만 원이라면, "4만 9천 원에 매수"라는 지정가 주문을 넣어봅니다.
- 지정가 주문은 시장의 급격한 변동성을 피하는 데 유용합니다.

3) 분할 매수 전략 사용하기

- 한 번에 모든 자금을 투입하지 말고, 나누어 투자하세요.
- 예: 100만 원을 투자할 때, 50만 원씩 두 번에 나눠 매수.

3. 첫 매도, 이렇게 하라

1) 목표가와 손절가를 정하라

- 매수할 때부터 목표가와 손절가를 명확히 정해두세요.
- 예: 삼성전자 주식을 6만 원에 매수했다면, 목표가는 6만 5천 원, 손절가는 5만 7천 원으로 설정.

2) 감정적으로 대응하지 말라

- 첫 매도에서 가장 흔한 실수는 공포에 빠져 주식을 너무 빨리 팔거나, 욕심을 부려 손절 기회를 놓치는 것입니다.
- 목표가에 도달하면 과감히 매도하고, 손절가는 반드시 지키세요.

3) 수익률보다 경험에 집중하라

- 첫 매매의 목표는 수익보다 경험입니다.
- 첫 매매에서 수익이 나지 않더라도, 매매 과정을 통해 배운 점이 가장 큰 자산입니다.

4. 반드시 피해야 할 실수

1) "감"에 의존한 매매

- "이 주식은 오를 것 같아"라는 막연한 기대감으로 매수하지 마세요.
- 항상 기업의 실적, 차트, 시장 상황을 분석한 후 매매 결정을 내리세요.

2) 빚을 내서 투자

- 첫 매매에서는 절대 대출금이나 신용을 사용하지 마세요.
- 빚은 투자 초보자에게 너무 큰 부담이 될 수 있습니다.

3) 유행 따라가기

- 남들이 좋다고 하는 주식을 무작정 따라 사는 것은 위험합니다.
- 예: "친구가 테마주 샀다더라"라는 이유로 투자하지 마세요.

5. 재미있는 첫 매매 이야기

박지현 씨는 첫 매매로 30만 원을 들고 삼성전자 주식을 한 주 매수했습니다. 주가가 하루에 2% 올랐을 때 그녀는 큰 기쁨을 느꼈습니다. 하지만 다음 날, 주가가 3% 하락하자 놀라서 바로 매도했죠.

"손실을 봤지만, 이게 주식이구나 하고 실감했어요. 다음엔 차트를 더 꼼꼼히 보고 매수해야겠다는 생각이 들었어요."

지현 씨는 첫 매매의 경험을 통해 냉철한 판단이 얼마나 중요한지 배웠습니다.

첫 매매는 배우는 과정이다

첫 매매는 성공하든 실패하든 투자자로서의 첫걸음을 내딛는 중요한 과정입니다. 매매 과정에서 얻는 경험은 앞으로의 투자 여정에 큰 자산이 됩니다. 작은 금액으로 시작해 매매 감각을 익히고, 실수를 통해 배움을 얻으세요. 이제, 당신도 첫 매매를 통해 진짜 투자자로 성장할 준비가 되셨나요?

제2부 전략적으로 주식에 접근하다

5. 기본적 분석의 이해

5.1 재무제표 읽기: 손익계산서와 재무상태표

재무제표, 기업의 건강검진표

재무제표는 기업의 재정 상태와 성과를 보여주는 중요한 문서입니다. 마치 사람이 건강을 유지하려면 정기 검진을 받듯, 투자자는 재무제표를 통해 기업의 '건강 상태'를 확인해야 합니다.
이 장에서는 재무제표의 기본인 손익계산서와 재무상태표를 읽는 법을 배우고, 이를 활용해 투자에 적용하는 방법을 알아보겠습니다.

1. 손익계산서: 기업의 성적표

손익계산서는 기업이 일정 기간 동안 얼마나 돈을 벌고, 얼마나 지출했는지를 보여줍니다.
- 수익: 기업이 제품을 판매하거나 서비스를 제공해 벌어들인 돈.
- 비용: 원재료비, 인건비, 운영비 등 기업이 지출한 비용.
- 순이익: 수익에서 비용을 뺀 금액으로, 실제로 남는 돈.

실전 활용법
1. 순이익이 꾸준히 증가하는지 확인하라.
   - 기업의 수익성과 안정성을 평가할 수 있는 가장 기본적인 지표입니다.
2. 영업이익률을 살펴라.
   - 영업이익률(영업이익 ÷ 매출액)은 기업이 얼마나 효율적으로 돈을 버는지를 보여줌

사례 이야기
카카오의 손익계산서를 보면, 2010년대 초반에는 광고와 콘텐츠 매출 증가로 순이익이 꾸준히 상승했습니다. 이 성장세는 주가에 반영되어 투자자들에게 큰 수익을 안겨주었음

2. 재무상태표: 기업의 재정 건강 상태

재무상태표는 기업이 현재 어떤 자산을 가지고 있고, 얼마나 빚을 졌는지를 나타냅니다.
- 자산: 기업이 소유한 모든 것. (현금, 건물, 기계 등)
- 부채: 기업이 갚아야 할 빚. (대출금, 미지급금 등)
- 자본: 자산에서 부채를 뺀 순수한 기업의 가치.

실전 활용법

1. 부채비율을 확인하라.
   - 부채비율(부채 ÷ 자본)은 기업이 얼마나 안정적으로 운영되고 있는지를 나타냅니다.
   - 부채비율이 100% 이하라면 안정적, 200% 이상이면 위험 신호일 수 있습니다.
2. 현금 보유량을 살펴라.
   - 기업이 위기 상황에서도 살아남으려면 충분한 현금이 필요합니다.

사례 이야기

한때 부채비율이 높아 위험에 처했던 모 기업은, 이후 자본 확충과 현금 보유량 증가로 안정적인 재무 상태를 회복하며 주가가 크게 상승했습니다.

3. 재무제표 읽는 법, 이렇게 시작하라

1. 3년 이상 데이터를 확인하라
   - 단기적으로 좋아 보이는 기업도 장기 데이터를 보면 안정성이 떨어질 수 있습니다.

2. 산업 평균과 비교하라
   - 동일 산업군 내 다른 기업들과 비교해, 해당 기업이 경쟁 우위를 가지고 있는지 확인

3. 재무 비율을 계산하라
   - 순이익률, 부채비율, 유동비율 등 다양한 재무 비율을 활용해 기업의 강점과 약점을 파악하세요.

4. 재무제표를 활용한 투자 사례

2020년 팬데믹 당시, 많은 기업들이 재무제표를 통해 위기 대응 능력을 입증했습니다.
- 한 글로벌 IT 기업은 충분한 현금 보유량 덕분에 팬데믹 기간에도 신사업에 투자하며 경쟁력을 유지했습니다.
- 반면, 부채비율이 높은 항공사들은 현금 흐름 문제로 어려움을 겪었고, 투자자들에게 신중한 결정을 요구했습니다.

5. 재무제표, 성공 투자의 나침반

재무제표는 단순한 숫자들의 나열이 아니라, 기업의 과거와 현재를 보여주는 지도이자 미래를 예측하는 나침반입니다.
- 손익계산서는 기업의 성과와 효율성을 보여줍니다.
- 재무상태표는 기업의 재정적 안정성을 나타냅니다.

이제 재무제표를 읽는 법을 익혔다면, 투자할 기업을 더 면밀히 분석하고, 성공적인 투자 결정을 내릴 수 있을 것입니다. 주식 시장은 숫자를 이해하는 사람에게 유리합니다. 이제 당신의 다음 투자에서 이 도구들을 활용해보세요!

5.2 PER와 PBR, 기업의 가치를 찾아내다

PER와 PBR, 투자 판단의 나침반

주식 투자에서 PER(주가수익비율)과 PBR(주가순자산비율)은 기업의 가치를 평가하는 데 가장 널리 사용되는 지표다.
이 두 가지는 간단하지만 강력한 도구로, 주식이 현재 고평가되었는지 저평가되었는지 판단하는 데 도움을 준다. 이 장에서는 PER와 PBR의 개념과 계산법, 그리고 이를 실전에서 어떻게 활용할 수 있는지 알아보자.

1. PER(주가수익비율): 이 주식이 비싼가, 싼가?

PER은 주가를 기업의 주당 순이익(EPS)으로 나눈 값으로, 주식이 현재 수익 대비 몇 배의 가격에 거래되고 있는지를 보여준다.
- 공식: PER = 주가 ÷ 주당 순이익(EPS)
- 의미:
  - PER이 높다: 시장에서 해당 기업의 미래 성장 가능성을 높게 평가.
  - PER이 낮다: 기업이 저평가되었거나, 성장 가능성이 낮다고 판단.

실전 활용법
1. 같은 산업 내 기업 간 비교
   - 예: IT 산업에서 A기업의 PER이 10배, B기업의 PER이 20배라면 A기업이 상대적으로 저평가되었을 가능성이 있다.
2. 역사적 평균과 비교
   - 예: 특정 기업의 PER이 과거 5년 평균보다 낮다면 저평가 신호일 수 있다.

사례 이야기
2010년대 초, 한 글로벌 반도체 기업의 PER이 8배 수준으로 낮아 투자자들에게 주목받았다. 이후 반도체 시장의 성장과 함께 주가는 급등하며 높은 수익률을 기록했다.

2. PBR(주가순자산비율): 이 주식의 자산 가치는 적정한가?

PBR은 주가를 기업의 주당 순자산(BPS)으로 나눈 값으로, 기업의 자산 대비 주식의 가격 수준을 보여준다.

- 공식: PBR = 주가 ÷ 주당 순자산(BPS)
- 의미:
  - PBR이 1 미만: 기업의 자산 가치에 비해 주가가 낮아 저평가되었을 가능성.
  - PBR이 1 초과: 시장에서 해당 기업의 자산 외 가치를 높게 평가.

실전 활용법

1. 자산 중심 기업 평가
   - 금융, 제조업과 같은 자산 비중이 높은 기업에서 유용하다.
2. 시장 상황에 따른 저평가 기업 발굴
   - 예: 경기 침체기에는 많은 기업의 PBR이 1 미만으로 떨어지며 매수 기회를 제공한다.

사례 이야기

2008년 금융 위기 당시, 한 글로벌 은행의 PBR이 0.5로 떨어졌다. 위기 후 시장이 안정되며 주가가 회복되었고, 이를 매수했던 투자자들은 큰 수익을 얻었다.

3. PER과 PBR을 함께 활용하라

PER과 PBR은 각각의 장점이 있지만, 함께 사용하면 더 효과적이다.

- PER이 낮고 PBR이 1 미만인 경우: 주가가 저평가되었을 가능성이 높음.
- PER이 높지만 PBR도 높은 경우: 시장에서 미래 성장 가능성을 높게 평가.

실전 활용법

1. 저평가 종목 찾기
   - PER이 낮고 PBR이 1 미만인 종목은 일반적으로 저평가된 기업으로 간주된다.
2. 성장주와 가치주의 구분
   - 성장주는 PER이 높은 경우가 많고, 가치주는 PBR이 낮은 경우가 많다.

사례 이야기

한 바이오 기업은 PER은 30배로 높았지만, PBR도 10배 수준이었다. 이는 시장에서 해당 기업의 신약 개발 성공 가능성을 높게 평가한 것이다. 실제로 신약이 성공하며 주가는 더 급등했다.

4. PER과 PBR을 사용할 때 주의점

1. 단독으로 사용하지 말라
   - PER과 PBR은 단순한 숫자일 뿐, 기업의 성장 가능성, 산업 트렌드 등을 함께 고려해야 한다.

2. 산업별 평균을 확인하라
   - IT와 바이오 산업은 PER이 높게 형성되는 반면, 제조업은 PER과 PBR이 낮은 경우가 많다.

3. 단기적 변동에 흔들리지 말라
   - 단기적인 실적 변화나 시장 충격으로 인해 PER과 PBR이 왜곡될 수 있다.

5. PER과 PBR, 투자자의 나침반

PER과 PBR은 기업의 가치를 평가하고, 적정 매수와 매도 타이밍을 잡는 데 매우 유용한 도구다.

- PER은 기업의 수익성을 기반으로,
- PBR은 자산 가치를 기준으로 평가한다.

이 두 지표를 잘 활용하면 단순히 주식을 사고파는 것을 넘어, 진정으로 가치 있는 기업에 투자할 수 있다. 다음 투자에서는 PER과 PBR을 계산해보고, 저평가된 기업을 찾아보는 연습을 해보자. 투자 성공의 나침반이 당신의 손안에 있다!

5.3 성장 가능성을 평가하는 실전 방법

기업의 미래를 읽는 법

주식 투자는 단순히 현재의 숫자에 기반한 계산이 아니라, 기업의 미래 성장 가능성을 예측하는 과정이다.
성장 가능성이 높은 기업에 투자한다면, 단순히 몇 퍼센트의 수익률을 넘어, 수십 배의 수익을 거둘 수도 있다.
이 장에서는 기업의 성장 가능성을 평가하기 위한 실전적인 방법을 소개한다.

1. 성장 가능성을 평가하는 핵심 요소

1) 시장 트렌드와 산업 전망
  - 기업이 속한 산업의 성장 가능성은 기업의 미래를 결정짓는 중요한 요소다.
  - 성장 산업은 항상 새로운 기회를 창출한다.
  - 예: AI, 전기차, 재생 에너지 등.

실전 팁
- 해당 산업의 시장 규모가 얼마나 빠르게 성장하고 있는지 확인하라.
- 글로벌 트렌드와 정부 정책의 방향성을 함께 고려하라.

사례 이야기
2020년대 초, 전기차 시장이 급성장하며 테슬라뿐 아니라 전기차 배터리를 생산하는 CATL, LG에너지솔루션 같은 기업들도 큰 주목을 받았다. 전기차 시장의 확장을 예측한 투자자들은 이 기업들의 성장과 함께 높은 수익을 얻었다.

2) 경쟁력과 차별화 요소
  - 기업이 가진 기술력, 브랜드 가치, 시장 점유율 등이 성장 가능성의 중요한 지표다.
  - 경쟁사와 비교해 어떤 차별화된 강점이 있는지 파악하라.

실전 팁

- 특허, 기술력, 독점적인 제품군을 가진 기업은 장기적으로 유리하다.
- 기업의 시장 점유율이 꾸준히 늘어나고 있는지도 확인하라.

사례 이야기

팔란티어 테크놀로지는 데이터 분석이라는 독특한 시장에서 뛰어난 기술력을 바탕으로 성장해왔다. 정부와 대기업 계약을 통해 독점적인 경쟁력을 유지하며 주목받고 있다.

3) 재무제표와 성장성 지표

- 매출 성장률, 영업이익률, 순이익률은 기업의 성장 가능성을 평가하는 핵심 지표다.
- 특히 매출 성장률이 꾸준히 증가하는 기업은 미래 전망이 밝다.

실전 팁

- 과거 3년간의 매출 성장률을 분석하라.
- 순이익이 증가하지 않더라도, 매출이 꾸준히 증가하고 있다면 미래를 기대해볼 만하다.

사례 이야기

한 게임 회사는 초기에는 매출은 높았지만 순이익이 낮아 시장에서 주목받지 못했다. 하지만 매출이 꾸준히 증가하며 이후 수익성이 개선되었고, 주가는 크게 상승했다.

2. 성장 가능성 평가를 위한 구체적인 방법

1) 정부 정책과 규제 확인하기

- 정부의 지원이 집중되는 산업은 성장 가능성이 크다.
- 예: 재생에너지, 반도체, 바이오헬스 등.

2) 경영진의 비전과 실행력 분석하기

- 경영진의 과거 성과와 현재 비전을 평가하라.
- CEO가 혁신적이고 실행력이 강한 리더라면, 기업의 성장 가능성이 높다.

사례 이야기
아마존의 제프 베조스는 초기에는 온라인 서점으로 시작했지만, 클라우드 사업(AWS)으로 확장하며 회사를 세계적인 기술 기업으로 성장시켰다.

3) 글로벌 시장에서의 성장 가능성
- 해외 시장 진출이 활발한 기업은 더 큰 기회를 가질 수 있다.
- 글로벌 수출 비중과 해외 매출 성장률을 확인하라.

사례 이야기
삼성전자는 반도체 분야에서 글로벌 시장 점유율 1위를 기록하며 안정적인 성장세를 유지하고 있다. 글로벌 수요를 기반으로 성장 가능성을 지속적으로 유지하고 있다.

3. 실전 투자 사례: 저평가된 성장주 찾기

한 초보 투자자가 2010년대 초, 전기차 시장의 성장을 예측하고 CATL이라는 배터리 제조 기업에 투자했다. 당시 CATL은 성장 가능성이 높았지만, 시장에서 크게 주목받지 못하고 있었다.
이후 전기차 시장이 폭발적으로 성장하면서 CATL의 매출과 이익은 급증했고, 주가는 몇 배로 상승했다. 이 투자자는 기업의 성장 가능성을 미리 발견한 덕분에 큰 수익을 올릴 수 있었다.

4. 성장 가능성을 평가할 때 주의할 점

1) 성장성만 보고 투자하지 말라
- 매출과 이익이 없는 기업은 리스크가 크다.
- 성장 가능성과 함께 재무 안정성을 함께 고려하라.

2) 시장 과열 신호를 주의하라
- 특정 산업이 과열되어 주가가 비정상적으로 상승할 수 있다.
- 냉철하게 기업의 실적과 가치를 분석하라.

3) 장기적 관점을 유지하라

- 성장주는 단기적으로 변동성이 크기 때문에, 장기적인 관점에서 투자해야 한다.

5. 성장 가능성은 투자의 핵심

성장 가능성을 평가하는 것은 투자 성공의 중요한 열쇠다.

- 시장 트렌드, 경쟁력, 재무 상태를 면밀히 분석하라.
- 성장성을 가진 기업에 투자하면, 단순한 수익을 넘어 큰 성과를 얻을 수 있다.

이제 당신도 실전에서 성장 가능성을 평가하고, 유망한 기업에 투자할 준비가 되었는가? 첫걸음은 분석에서 시작한다. 당신의 분석이 곧 성공으로 이어질 것이다!

6. 기술적 분석의 기초

6.1 차트의 흐름과 패턴 이해하기

주식 차트, 시장의 언어를 읽다

차트는 주식 시장에서 투자자들에게 매우 중요한 역할을 한다. 주식의 과거 움직임을 기록한 차트는 단순한 그래프가 아니라, 투자자들의 심리와 시장의 흐름을 반영한 '시장 언어'다.
이 장에서는 차트를 통해 주식의 흐름을 읽는 법과 대표적인 패턴을 실전에서 어떻게 활용할 수 있는지 알아보자.

1. 차트의 기본: 캔들과 차트 종류

주식 차트는 주로 캔들 차트로 구성된다.
- 캔들 하나는 하루 또는 일정 기간 동안의 주가 흐름을 나타낸다.
- 캔들에는 네 가지 중요한 요소가 있다: 시가, 종가, 고가, 저가.

캔들의 구성
- 양봉: 종가가 시가보다 높으면 빨간색(상승) 캔들.
- 음봉: 종가가 시가보다 낮으면 파란색(하락) 캔들.

차트 종류
1. 일봉 차트: 하루 단위의 흐름을 보여줌. 단기 매매에 적합.
2. 주봉 차트: 한 주 단위의 흐름. 중기적인 추세 확인 가능.
3. 월봉 차트: 한 달 단위의 흐름. 장기 투자에 적합.

실전 팁
- 단기 투자자는 일봉과 주봉을, 장기 투자자는 월봉 차트를 주로 참고하라.

2. 주요 차트 패턴과 의미

차트는 반복되는 패턴을 통해 투자자들에게 매수와 매도의 신호를 제공한다.

1) 헤드 앤 숄더(머리와 어깨 패턴)
  - 상승 후 주가가 정점을 찍고 하락할 때 나타나는 패턴.
  - 하락 추세로 전환되는 신호로 간주된다.
  - 실전 활용: 이 패턴이 완성되면 매도 신호로 판단한다.

2) 이중 바닥(W 패턴)
  - 주가가 두 번 바닥을 찍고 상승하는 모양.
  - 상승 추세로 전환되는 신호로 간주된다.
  - 실전 활용: W 패턴이 완성되면 매수 신호로 판단한다.

3) 삼각형 패턴
  - 주가의 변동 폭이 점점 좁아지며 삼각형 모양을 형성.
  - 돌파 방향에 따라 상승 또는 하락이 결정된다.
  - 실전 활용: 삼각형 상단을 돌파하면 매수, 하단을 돌파하면 매도.

3. 이동평균선과 차트의 흐름 읽기

이동평균선은 일정 기간 동안의 평균 주가를 나타낸 선으로, 차트의 흐름을 읽는 데 중요한 도구다.
- 단기 이동평균선(5일, 10일): 최근의 주가 변동을 반영.
- 중기 이동평균선(20일, 60일): 주식의 중기적 흐름 파악.
- 장기 이동평균선(120일, 200일): 시장의 전체적인 방향성 확인.

골든 크로스와 데드 크로스
- 골든 크로스: 단기 이동평균선이 장기 이동평균선을 위로 돌파. 상승 신호.
- 데드 크로스: 단기 이동평균선이 장기 이동평균선을 아래로 돌파. 하락 신호.

사례 이야기

2020년 팬데믹 이후 삼성전자는 골든 크로스가 나타나면서 강한 상승세를 보였다. 이를 신호로 매수했던 투자자들은 큰 수익을 얻었다.

4. 실전에서 차트 활용하기

1) 지지선과 저항선 설정하기

- 지지선: 주가가 하락할 때 지지받는 가격대.
- 저항선: 주가가 상승할 때 저항을 받는 가격대.
- 활용법: 지지선에서 매수하고, 저항선에서 매도한다.

2) 추세선 그리기

- 상승 추세: 저점이 점점 높아지는 선.
- 하락 추세: 고점이 점점 낮아지는 선.
- 활용법: 추세선을 돌파할 때 매수 또는 매도 신호로 활용한다.

3) 거래량 분석하기

- 주가가 상승할 때 거래량이 늘어나면 상승 신뢰도가 높다.
- 반대로 주가가 상승하면서 거래량이 줄어들면 상승 지속 가능성이 낮다.

5. 차트를 읽을 때 주의할 점

1) 과거 데이터만으로 미래를 예측하지 말라

- 차트는 과거의 데이터를 보여줄 뿐, 100% 정확한 미래 예측 도구는 아니다.
- 기업의 실적과 시장 상황을 함께 고려하라.

2) 패턴에 집착하지 말라

- 특정 패턴만을 맹신하는 것은 위험하다. 패턴은 참고 도구일 뿐이다.

3) 감정적으로 대응하지 말라

- 차트의 작은 변동에 흔들리지 말고, 큰 흐름을 보는 연습을 하라.

차트는 시장의 언어다

차트는 단순한 그림이 아니라 시장 참여자들의 심리가 반영된 데이터다.

- 차트의 패턴을 이해하고,
- 이동평균선과 거래량을 활용하며,
- 지지선과 저항선을 분석하면,

투자자는 더 나은 결정을 내릴 수 있다. 차트를 통해 시장의 언어를 읽고, 실전에서 이를 활용해 성공적인 투자자가 되어보자. 이제 당신도 차트를 읽을 준비가 되었는가?

6.2 이동평균선과 거래량의 중요성

이동평균선과 거래량, 주식 시장의 나침반

주식 시장에서 이동평균선과 거래량은 투자자들이 시장 흐름을 이해하고 예측하는 데 핵심적인 역할을 한다.
이동평균선은 주가의 평균적인 흐름을 나타내며, 거래량은 시장 참여자들의 관심과 심리를 보여준다.
이 두 가지를 잘 활용하면 주식 매수와 매도 타이밍을 효과적으로 잡을 수 있다.

1. 이동평균선의 이해와 활용

이동평균선은 일정 기간 동안의 주가 평균을 선으로 나타낸 것이다.
주가는 단기적으로 변동성이 크지만, 이동평균선은 이를 평활화하여 더 명확한 추세를 보여준다.

이동평균선의 종류
1) 단기 이동평균선 (5일, 10일)
   - 최근 며칠간의 주가 변동을 반영.
   - 단기 매매를 위한 지표로 사용.

2) 중기 이동평균선 (20일, 60일)
   - 한 달 이상 기간 동안의 주가 흐름을 나타냄.
   - 중기 투자 전략에 활용.

3) 장기 이동평균선 (120일, 200일)
   - 주식의 장기적 방향성을 보여줌.
   - 대세 추세를 파악하는 데 유용.

골든 크로스와 데드 크로스

- 골든 크로스: 단기 이동평균선이 장기 이동평균선을 위로 돌파하는 현상. 상승 신호로 간주.
- 데드 크로스: 단기 이동평균선이 장기 이동평균선을 아래로 돌파하는 현상. 하락 신호로 간주.

실전 활용법

1. 이동평균선의 방향을 확인하라.
   - 상승하는 이동평균선은 긍정적인 신호, 하락하는 이동평균선은 부정적인 신호.
2. 이동평균선의 간격을 주목하라.
   - 이동평균선 간격이 좁아지면 큰 변동이 올 가능성이 있다.

사례 이야기

2020년 팬데믹 이후 삼성전자는 골든 크로스를 형성하며 주가가 강하게 상승했다. 이 신호를 놓치지 않은 투자자들은 높은 수익을 얻었다.

2. 거래량의 이해와 활용

거래량은 특정 기간 동안 거래된 주식의 수량을 나타낸다.
이는 주가 움직임의 강도와 시장 참여자들의 관심을 보여주는 중요한 지표다.

거래량의 의미

1) 주가 상승과 함께 거래량 증가
   - 강한 상승 신호. 많은 투자자들이 관심을 보이는 상황.

2) 주가 상승과 함께 거래량 감소
   - 상승세가 약해질 가능성을 나타냄.

3) 주가 하락과 함께 거래량 증가
   - 하락 압력이 강함. 추가 하락 가능성.

4) 주가 하락과 함께 거래량 감소

- 하락세가 완화될 가능성.

실전 활용법

1. 거래량 급증 구간을 주목하라.
   - 특정 주식에서 거래량이 급증하면 큰 변동이 일어날 가능성이 높다.
2. 주가 변동과 거래량의 관계를 살펴라.
   - 주가 상승이 거래량 증가와 함께 이루어지는 경우 상승 신뢰도가 높다.

사례 이야기

한 게임 회사는 신작 게임 출시 소식으로 거래량이 급증하며 주가가 급등했다. 거래량 변화를 빠르게 포착한 투자자들은 상승 초기에 매수해 큰 수익을 올렸다.

3. 이동평균선과 거래량의 조합

이동평균선과 거래량은 함께 사용했을 때 더 강력한 분석 도구가 된다.
- 골든 크로스가 형성될 때 거래량이 함께 증가하면 상승 신호로 신뢰도가 높다.
- 데드 크로스와 함께 거래량이 증가하면 하락 신호로 강하게 작용할 가능성이 크다.

실전 팁

- 이동평균선의 신호가 나타날 때 거래량이 증가하는지 확인하라.
- 거래량이 급증하는 구간에서는 시장의 방향성이 명확해질 가능성이 크다.

4. 이동평균선과 거래량 분석 시 주의점

1) 단기 신호에 휘둘리지 말라

- 이동평균선과 거래량은 장기적인 흐름을 보는 데 더 적합하다.

2) 다른 지표와 함께 사용하라

- MACD, RSI 등 다른 기술적 지표와 함께 사용하면 신뢰도를 높일 수 있다.

3) 기업의 실적과 함께 분석하라

- 이동평균선과 거래량만으로는 기업의 근본 가치를 알 수 없다.

이동평균선과 거래량, 실전 매매의 동반자

이동평균선과 거래량은 주식 시장의 흐름을 이해하고 투자 결정을 내리는 데 핵심적인 역할을 한다.

- 이동평균선은 주가의 방향성과 추세를 보여주며,
- 거래량은 시장 참여자들의 관심과 심리를 나타낸다.

이 두 가지를 잘 활용하면 매수와 매도의 적절한 타이밍을 잡을 수 있다. 다음 투자에서는 이동평균선과 거래량을 분석하며 시장의 흐름을 읽어보자. 성공적인 매매는 데이터에서 시작된다!

6.3 실전에서 매수와 매도 타이밍 잡기

매수와 매도, 성공 투자의 핵심

주식 투자에서 수익을 결정짓는 가장 중요한 요소는 매수와 매도 타이밍이다.
"언제 사야 할까?", "지금 팔아야 할까?" 이런 고민은 투자자라면 누구나 하는 질문이다.
이 장에서는 실전에서 매수와 매도 타이밍을 효과적으로 잡는 방법과 사례를 통해 성공적인 투자 전략을 소개한다.

1. 매수 타이밍: 언제 주식을 사야 할까?

1) 기술적 신호를 활용한 매수
  - 골든 크로스: 단기 이동평균선이 장기 이동평균선을 위로 돌파할 때 매수 신호로 간주된다.
  - 지지선: 주가가 지지선에 도달했을 때 반등 가능성이 높아 매수 기회가 될 수 있다.

사례 이야기
한 IT 기업의 주가는 장기 하락 후 60일 이동평균선과 만나 골든 크로스를 형성했다. 이 신호를 보고 매수한 투자자들은 이후 기업의 기술 발표로 주가가 급등하면서 큰 수익을 올렸다.

2) 기본적 분석에 기반한 매수
  - PER과 PBR이 낮거나, 기업의 실적이 개선되고 있을 때가 매수 적기다.
  - 산업의 성장 가능성이 높거나 정부 정책에 수혜를 입을 기업에 투자한다.

사례 이야기
전기차 배터리를 제조하는 한 기업은 신규 공장 설립 발표와 함께 매출 증가가 예고되었다. 이를 분석한 투자자들은 초기 단계에 매수해 시장 성장과 함께 수익을 거두었다.

2. 매도 타이밍: 언제 주식을 팔아야 할까?

1) 기술적 신호를 활용한 매도

- 데드 크로스: 단기 이동평균선이 장기 이동평균선을 아래로 돌파하면 매도 신호로 간주된다.
- 저항선: 주가가 저항선에 근접하거나 도달하면 하락 가능성이 있어 매도할 타이밍일 수 있다.

사례 이야기

한 게임 회사의 주가는 급등했지만, 데드 크로스가 형성된 뒤 급락세를 보였다. 이를 신호로 매도한 투자자들은 손실을 방지할 수 있었다.

2) 목표가와 손절가 설정

- 목표가: 매수 전 목표가를 설정해 수익 실현 기회를 놓치지 않는다.
- 손절가: 하락 위험이 있을 경우 손실을 제한하기 위해 손절가를 설정한다.

실전 팁

- 목표가를 설정할 때는 기업의 실적 전망과 차트 분석을 바탕으로 한다.
- 손절가는 매수 가격에서 5~10% 하락한 지점으로 설정하는 것이 일반적이다.

사례 이야기

한 바이오 회사는 신약 개발 기대감으로 급등했지만, 임상 실패 소식에 급락했다. 손절가를 설정했던 투자자들은 큰 손실을 방지할 수 있었다.

3. 매수와 매도 시 피해야 할 실수

1) 감정적으로 대응하지 말라

- 공포에 빠져 급히 매도하거나, 탐욕으로 지나치게 오래 보유하는 것은 위험하다.
- 냉정한 판단과 계획이 중요하다.

2) 시장의 유행만 따라가지 말라

- 테마주나 단기적 유행에 휩쓸리지 않고, 기업의 본질적 가치를 고려해야 한다.

3) 너무 늦게 반응하지 말라

- 매수와 매도 타이밍을 놓치지 않으려면 사전에 목표가와 손절가를 설정하라.

4. 매수와 매도, 성공 사례로 배우기

한 투자자는 2020년 팬데믹 초기, 데이터를 분석해 한 IT 기업의 주가가 과매도 상태임을 발견했다. 그는 골든 크로스가 나타났을 때 매수했고, 이후 주가가 급등하자 목표가에 도달했을 때 매도해 30%의 수익을 얻었다.
반면, 탐욕으로 매도 타이밍을 놓친 또 다른 투자자는 급등 이후 주가가 급락하며 수익을 잃었다.

매수와 매도, 성공적인 투자의 출발점

매수와 매도는 투자 성공의 핵심이다.
- 매수는 기업의 가치와 시장 신호를 분석해 결정하고,
- 매도는 목표가와 손절가를 기준으로 냉철하게 실행해야 한다.

이제 당신도 매수와 매도의 타이밍을 잡아보자. 주식 시장의 흐름을 읽고, 실전에서 자신만의 투자 전략을 구축할 준비가 되었는가? 다음 투자에서는 배운 내용을 활용해 더 나은 결정을 내리자!

7. 투자 스타일과 전략

7.1 성장주와 가치주: 당신에게 맞는 투자법

성장주와 가치주, 무엇이 다른가?

주식 시장에는 크게 두 가지 투자 접근법이 있다: 성장주 투자와 가치주 투자.
성장주는 높은 성장 가능성을 가진 기업에 투자하는 것이고, 가치주는 저평가된 기업을 발굴해 투자하는 방식이다.
이 두 가지는 투자자의 성향과 목표에 따라 다르게 적용된다. 이 장에서는 성장주와 가치주의 차이를 이해하고, 어떤 투자법이 자신에게 맞는지 알아본다.

1. 성장주: 미래를 보고 투자하다

성장주는 매출과 이익이 빠르게 증가하는 기업이다.
이들은 대체로 혁신적인 제품이나 서비스, 또는 시장의 트렌드에 부합하는 비즈니스를 운영한다.
- 특징: 고성장, 고위험, 높은 PER
- 주요 산업: IT, 바이오, 전기차, 클라우드 서비스

장점
1. 높은 성장 가능성
   - 산업 성장과 함께 주가가 급격히 상승할 가능성이 있다.
2. 트렌드에 적합
   - 전 세계적인 트렌드에 부합하는 기업은 시장에서 주목받는다.

단점
1. 높은 변동성
   - 실적이 시장 기대에 미치지 못하면 주가가 급락할 수 있다.
2. 배당 수익 낮음

- 대부분의 수익을 재투자하기 때문에 배당을 거의 지급하지 않는다.

사례 이야기

클라우드 서비스를 제공하는 한 글로벌 IT 기업은 초기에 낮은 매출과 적자를 기록했지만, 클라우드 시장의 폭발적 성장과 함께 매출이 10배 이상 증가하며 주가도 급등했다. 초기 투자자들은 이 성장을 기반으로 큰 수익을 올렸다.

2. 가치주: 저평가된 보석을 찾다

가치주는 시장에서 저평가된 기업으로, 자산이나 수익 대비 낮은 가격에 거래되고 있다. 이들은 대체로 안정적인 비즈니스를 운영하며, 실적이 꾸준히 개선될 가능성이 있다.

- 특징: 저평가, 안정성, 낮은 PER
- 주요 산업: 제조업, 금융, 에너지

장점

1. 안정적인 투자
   - 실적과 자산이 안정적이므로 비교적 변동성이 낮다.
2. 배당 수익 가능
   - 자산이 풍부한 기업은 투자자들에게 배당을 지급하는 경우가 많다.

단점

1. 성장 제한
   - 시장에서 이미 성숙기에 접어든 기업이 많아, 급격한 성장 가능성은 낮다.
2. 투자 회복 시간
   - 저평가 상태가 회복되기까지 시간이 오래 걸릴 수 있다.

사례 이야기

한 금융 회사는 부동산 시장 침체로 인해 주가가 급락했지만, 자산 대비 주가가 저평가된 상태였다. 이를 발견한 투자자들은 시장 회복과 함께 안정적인 배당 수익과 주가 상승을 경험했다.

3. 성장주와 가치주, 무엇이 더 좋을까?

성장주와 가치주 중 어떤 것이 더 좋은 투자법인지는 투자자의 성향과 목표에 따라 다르다.

1) 성장주를 선호하는 경우
   - 높은 리스크를 감수하더라도 큰 수익을 기대한다.
   - 신기술과 혁신적인 사업 모델에 관심이 많다.

2) 가치주를 선호하는 경우
   - 안정적이고 꾸준한 수익을 추구한다.
   - 기업의 자산 가치와 내재 가치를 중요하게 생각한다.

실전 팁
- 성장주는 기술적 분석과 트렌드 파악에 초점을 맞추자.
- 가치주는 재무제표와 산업 평균을 분석하며 내재 가치를 계산하자.

4. 성장주와 가치주를 병행하는 전략

대부분의 투자자는 성장주와 가치주를 적절히 병행해 포트폴리오를 구성한다.
1) 성장주는 장기적으로 높은 수익률을 추구하며,
2) 가치주는 안정성과 리스크 분산을 제공한다.

포트폴리오 구성 예시
- 성장주 60%, 가치주 40%: 장기적인 성장을 목표로 하는 투자자에게 적합.
- 가치주 70%, 성장주 30%: 안정적인 배당 수익을 선호하는 투자자에게 적합.

사례 이야기
한 투자자는 바이오와 전기차 산업의 성장주에 60%를 투자하고, 배당주로 알려진 금융 가치주에 40%를 투자했다. 이는 변동성을 줄이면서도 장기적인 성장을 추구할 수 있는 전략이었다.

5. 성장주와 가치주, 나만의 투자 철학 세우기

성장주와 가치주는 각각의 장단점이 있으며, 특정 시점과 시장 상황에 따라 매력도가 달라질 수 있다.
투자자는 자신의 성향과 목표를 명확히 하고, 두 가지 전략을 적절히 결합하는 포트폴리오를 구성하자.

성장주와 가치주는 모두 투자 성공의 열쇠가 될 수 있다.
이제 당신은 어느 쪽을 선택하겠는가? 아니면 둘 다 활용해 균형 잡힌 전략을 세워보겠는가?
다음 투자에서는 성장주와 가치주를 조합해 나만의 투자 전략을 실행해보자!

7.2 단기, 중기, 장기 투자 전략의 장단점

투자 기간, 당신은 어떤 투자자인가?

주식 투자는 기간에 따라 크게 세 가지로 나뉜다: 단기 투자, 중기 투자, 그리고 장기 투자.
이 중에서도 장기 투자는 워런 버핏(Warren Buffett) 같은 세계적 투자 대가들이 강조하는 방법으로, 시간을 활용해 복리 효과를 극대화하는 전략이다.
이 장에서는 단기, 중기, 장기 투자 전략의 장단점과 함께, 워런 버핏의 장기 투자 철학과 전략을 심도 있게 다뤄본다.

1. 단기 투자: 빠르게 사고팔기

단기 투자는 하루에서 몇 주 이내에 주식을 사고파는 방식으로, 차트 분석과 기술적 지표를 활용한다.
이는 높은 변동성을 감수하며 빠른 수익을 추구하는 투자자들에게 적합하다.

장점

1. 빠른 수익 실현
   - 변동성이 큰 시장에서 짧은 시간에 수익을 얻을 수 있다.
2. 유동성 확보
   - 자금을 빠르게 회수해 다른 투자 기회에 활용할 수 있다.

단점

1. 높은 리스크
   - 시장의 단기 변동성에 민감해 손실 가능성이 크다.
2. 심리적 부담
   - 주가 변동을 실시간으로 관찰해야 하며, 스트레스를 동반한다.

실전 팁
- 손절가와 목표가를 명확히 설정해 감정적 매매를 피하라.
- 차트에서 거래량과 이동평균선을 확인해 단기 신호를 읽어라.

2. 중기 투자: 트렌드와 함께

중기 투자는 몇 달에서 1년 정도 주식을 보유하며 시장의 흐름과 기업의 실적을 분석하는 전략이다.
산업의 중기적 성장 가능성을 활용해 적절한 타이밍에 매수와 매도를 결정한다.

장점
1. 변동성과 안정성의 균형
   - 단기 투자보다 안정적이며, 장기 투자보다 빠른 수익을 얻을 수 있다.
2. 산업 변화에 유연하게 대응
   - 중기적 트렌드와 이벤트를 반영해 전략을 수정할 수 있다.

단점
1. 시장 상황에 민감
   - 경제 변화나 산업 이슈가 수익에 영향을 줄 수 있다.
2. 시간 관리 필요
   - 주기적으로 기업 실적과 시장 상황을 점검해야 한다.

실전 팁
- 기업의 실적 발표 주기를 체크하고, 관련 뉴스와 공시를 주기적으로 확인하라.
- 20일, 60일 이동평균선을 활용해 매수와 매도 시점을 파악하라.

3. 장기 투자: 워런 버핏의 전략을 배우다
워런 버핏은 장기 투자의 대명사로, “시간은 친구이고 충동은 적”이라는 말을 남기며 장기 투자의 중요성을 강조했다.
그의 전략은 단순하지만 강력하다: 좋은 기업을 좋은 가격에 매수해 오래 보유하라.

장기 투자의 핵심 원칙 (버핏의 철학)

1. 기업의 본질적 가치를 분석하라
   - 기업이 장기적으로 얼마나 돈을 잘 벌고, 안정적으로 성장할 수 있는지를 판단한다.
   - 버핏은 “주식을 살 때 기업의 일부를 사는 것이라 생각하라”고 말한다.

2. 복리 효과를 활용하라
   - 시간이 지날수록 배당 재투자와 주가 상승이 복리 효과를 일으킨다.
   - “복리는 세계 8번째 불가사의”라는 말로 장기 투자의 힘을 강조했다.

3. 기업의 경쟁력을 평가하라
   - 독점적인 시장 지위를 가지거나, 강력한 브랜드와 고객 충성도를 가진 기업을 선호한다.
   - 버핏은 이를 “경제적 해자”라고 표현하며, 경쟁자가 침투하기 어려운 강점을 가진 기업을 찾는다.

4. 단기 변동에 흔들리지 말라
   - “시장은 단기적으로는 투표기계지만, 장기적으로는 저울이다.”
   - 단기적인 주가 변동보다는 기업의 본질적인 가치에 집중한다.

실전 사례: 코카콜라

버핏은 코카콜라를 1988년부터 꾸준히 매수해 현재까지 보유하고 있다.
당시 코카콜라는 브랜드 가치와 글로벌 시장 점유율을 가진 독보적인 기업이었으며, 버핏은 이 기업의 장기적인 성장을 확신했다.
그 결과, 초기 투자 대비 수십 배의 수익을 거두며 장기 투자의 모범 사례가 되었다.

장점

1. 안정성과 복리 효과
   - 시간이 지날수록 수익이 눈덩이처럼 불어난다.
2. 배당 수익 확보
   - 장기적으로 안정적인 배당 수익을 누릴 수 있다.

단점

1. 긴 기다림
   - 성과를 보기까지 오랜 시간이 필요하며, 인내심이 요구된다.
2. 시장 변화 리스크
   - 예상치 못한 경제 위기나 산업 변화에 취약할 수 있다.

4. 투자 기간별 전략을 조합하라

버핏의 장기 투자 철학을 바탕으로 단기와 중기 투자 전략을 적절히 조합해 포트폴리오를 구성하는 것도 효과적이다.

- 단기 투자: 20% (변동성이 큰 시장 기회 활용)
- 중기 투자: 30% (산업 변화에 따라 유연하게 대응)
- 장기 투자: 50% (안정적이고 꾸준한 성장 기반 마련)

사례 이야기

한 투자자는 IT 성장주에 단기적으로 투자해 기회를 잡았고, 중기적으로 산업 변화에 대응했으며, 장기적으로는 배당주를 보유해 안정적인 수익을 얻었다. 이 전략은 변동성과 안정성을 모두 잡는 데 성공적이었다.

5. 나만의 투자 기간 전략을 세워라

투자 기간은 목표와 성향에 따라 다르게 설정할 수 있다.

- 단기 투자로 빠른 수익을 얻을 것인지,
- 중기 투자로 균형 잡힌 접근을 할 것인지,
- 장기 투자로 버핏처럼 시간을 활용할 것인지를 고민하라.

워런 버핏의 철학처럼, 시장의 변동에 흔들리지 않고 기업의 본질적 가치를 믿으며 장기적으로 성장하는 투자법은 언제나 강력한 무기가 된다.

다음 투자에서는 이 원칙을 적용해 성공의 문을 열어보자!

7.3 유명 투자자의 전략으로 배우기

성공적인 투자자는 어떻게 다를까?

주식 투자에 성공한 이들은 단순히 운이 좋은 사람들이 아니다.
이들은 각자의 철학과 전략을 가지고 꾸준히 시장에서 성과를 낸 사람들이다.
이 장에서는 워런 버핏, 피터 린치, 캐시 우드 등 세계적인 투자자들의 전략을 살펴보고, 이를 실전에서 어떻게 활용할 수 있는지 알아본다.

1. 워런 버핏: 가치투자의 대가

워런 버핏은 기업의 본질적 가치를 기반으로 투자 결정을 내리는 가치투자의 대표적인 인물이다.
그는 "좋은 기업을 좋은 가격에 매수해 오래 보유하라"는 철학으로 유명하다.

전략

1) 기업의 본질적 가치 분석
   - 기업의 수익성, 재무 안정성, 브랜드 가치 등을 종합적으로 평가한다.
   - "주식을 살 때는 기업의 일부를 사는 것이라고 생각하라"는 그의 철학이 이를 잘 보여준다.

2) 경제적 해자 찾기
   - 경쟁자가 쉽게 침투할 수 없는 강력한 경쟁력을 가진 기업을 선호한다.
   - 예: 코카콜라(브랜드), 지코(독점적 제품).

실전 사례

- 코카콜라: 버핏은 1988년 코카콜라 주식을 매수했으며, 현재까지 보유 중이다. 당시 코카콜라는 전 세계 시장을 장악하고 있었고, 브랜드 가치가 경쟁자를 압도했다.
- 애플: 그는 IT 기업에는 잘 투자하지 않았지만, 애플의 생태계와 브랜드 가치를 높게 평가해 대규모로 매수했다. 이후 애플은 그의 포트폴리오에서 가장 큰 비중을 차지하

는 종목이 되었다.

교훈

- 기업의 본질적 가치를 파악하는 것이 중요하다.
- 단기 변동에 흔들리지 말고, 장기적인 시각을 유지하라.

2. 피터 린치: 일상에서 투자 아이디어를 찾다

피터 린치는 성장주 투자로 유명한 인물로, "개인이 투자에 성공하려면 매일 마주치는 기업에서 아이디어를 얻어라"는 조언을 남겼다.
그는 마젤란 펀드를 운영하며 평균 29%의 연간 수익률을 기록했다.

전략

1) 쉽게 이해할 수 있는 기업에 투자하라
   - "내가 모르는 사업에는 투자하지 않는다"는 그의 원칙은 초보 투자자에게도 유용하다.
   - 주변에서 자주 접하는 제품이나 서비스를 제공하는 기업을 선호했다.

2) 성장 잠재력을 가진 기업 발굴
   - 매출 성장률과 순이익 증가율이 높은 기업을 찾았다.
   - 특히 낮은 PER을 가진 성장주에 관심을 가졌다.

실전 사례

- 스타벅스: 린치는 스타벅스를 방문한 고객들이 매장에서 오랜 시간을 보내며 고가의 커피를 구매하는 것을 보고 투자 아이디어를 얻었다.
- 던킨도너츠: 린치는 던킨도너츠의 높은 브랜드 충성도와 매출 성장을 기반으로 투자했다.

교훈

- 복잡한 산업보다, 내가 잘 아는 산업에서 투자 아이디어를 찾아라.

- 기업의 성장 잠재력을 데이터로 확인하라.

3. 캐시 우드: 미래 혁신을 선점하다

캐시 우드는 ARK인베스트의 CEO로, 혁신적인 기술 기업에 집중 투자하는 전략으로 유명하다.
그녀는 "미래를 바꿀 혁신적인 기술에 투자하라"는 철학을 가지고 있다.

전략
1) 혁신 기술 중심 투자
- 전기차, 인공지능, 유전자 편집, 블록체인 등 미래를 선도할 기술에 집중한다.
- 테슬라와 같은 고성장 기업에 초기 단계부터 투자했다.

2) 고위험 고수익 전략
- 변동성이 크더라도, 장기적으로 성장 가능성이 큰 기업에 과감히 투자한다.

실전 사례
- 테슬라: 캐시 우드는 테슬라가 단순한 자동차 제조업체가 아니라, 에너지와 자율주행 기술로 미래를 바꿀 기업이라고 판단해 초기부터 대규모로 투자했다.
- CRISPR 테라퓨틱스: 유전자 편집 기술을 보유한 이 기업에 투자하며, 바이오 혁신 시장에서도 두각을 나타냈다.

교훈
- 혁신적인 기술은 단기적으로는 논란이 될 수 있지만, 장기적으로 엄청난 성과를 가져올 수 있다.
- 위험을 감수하되, 철저히 분석한 후 투자하라.

4. 공통된 투자 원칙

세계적인 투자자들은 각기 다른 전략을 사용했지만, 성공의 공통된 원칙이 있다.

1) 철저한 분석

- 감에 의존하지 않고, 데이터를 기반으로 기업과 시장을 분석한다.

2) 장기적인 관점

- 단기 변동성에 흔들리지 않고, 기업의 본질적 성장 가능성을 믿는다.

3) 자신만의 원칙 고수

- 워런 버핏의 가치투자, 피터 린치의 일상 투자, 캐시 우드의 혁신 투자처럼 자신만의 전략을 확립한다.

5. 당신만의 전략을 세워라

- 워런 버핏처럼 본질적 가치를 보고 장기 투자할 것인가?
- 피터 린치처럼 주변에서 투자 아이디어를 찾을 것인가?
- 캐시 우드처럼 혁신 기술에 과감히 베팅할 것인가?

모든 성공적인 투자자는 자신의 철학을 가지고 꾸준히 시장에 임했다.
이제 당신도 이들의 전략에서 영감을 받아 나만의 투자 철학을 세워보자. 성공적인 투자로 가는 첫걸음은 여기서 시작된다.

8. 리스크 관리와 포트폴리오 구성

8.1 분산투자의 필요성과 실전 사례

분산투자, 성공적인 투자 전략의 기초

주식 시장에는 "모든 달걀을 한 바구니에 담지 말라"는 유명한 격언이 있다.
이는 분산투자가 왜 중요한지 간단하게 설명해준다.
분산투자는 위험을 줄이고 안정적인 수익을 기대할 수 있는 가장 기본적인 투자 전략이다.
이 장에서는 분산투자가 필요한 이유와 실전에서 어떻게 적용할 수 있는지 다양한 사례를 통해 알아보자.

1. 왜 분산투자가 필요한가?

1) 리스크를 줄인다
  - 특정 주식이나 산업에만 투자할 경우, 예상치 못한 사건으로 큰 손실을 입을 수 있다.
  - 분산투자는 이러한 리스크를 줄여준다.

2) 시장의 변동성에 대비
  - 주식 시장은 변동성이 크다.
  - 다양한 자산군과 종목에 투자하면 시장의 급격한 변화에 유연하게 대응할 수 있다.

3) 수익의 안정성 확보
  - 고위험 투자와 저위험 투자를 적절히 배분하면 꾸준한 수익을 기대할 수 있다.

사례 이야기
한 투자자는 특정 전기차 배터리 회사에 전 재산을 투자했다. 초기에는 주가가 급등하며 큰 수익을 얻었지만, 이후 시장 과열과 규제 발표로 주가가 폭락하며 큰 손실을 보았다. 반면, 비슷한 시기에 분산투자를 했던 또 다른 투자자는 같은 배터리 회사에 소액만 투자하고, 동시에 전통적인 제조업체와 ETF에 투자해 손실을 줄이고 전체적으로 안정적인 수익을 유지했다.

2. 실전에서 분산투자 적용하기

1) 산업별 분산투자
   - 특정 산업이 침체될 때를 대비해 여러 산업에 투자하라.
   - 예: IT, 바이오, 금융, 에너지 등 다양한 산업으로 분산.

실전 팁
- 성장주와 방어주의 비율을 조절하라.
  예: 성장 산업에 60%, 방어적 산업에 40%.

2) 지역별 분산투자
   - 국내 주식뿐만 아니라 해외 주식에도 투자하라.
   - 미국, 유럽, 아시아 등 글로벌 시장에 접근하면 리스크를 더 효과적으로 분산할 수 있다.

실전 팁
- 미국 시장의 안정성과 신흥 시장의 성장성을 조합하라.
  예: 미국 S&P500 ETF 50%, 신흥 시장 ETF 30%, 한국 코스피 종목 20%.

3) 자산군별 분산투자
   - 주식뿐만 아니라 채권, 금, 부동산 리츠 등 다양한 자산군으로 분산.
   - 자산군별로 상관관계가 낮기 때문에 리스크를 줄일 수 있다.

실전 팁
- 경제 상황에 따라 자산 비중을 조절하라.
  예: 경기 침체기에는 채권 비중을 늘리고, 경기 회복기에는 주식 비중을 늘린다.

3. 분산투자, 너무 많아도 문제다?

분산투자는 리스크를 줄이는 데 효과적이지만, 지나치게 많은 종목과 자산에 분산하면 관리가 어려워지고, 수익률이 낮아질 수 있다.

적절한 분산의 원칙

1) 종목 수는 30개 이상이 바람직하다.
   - 투자금이 소액이라면 최소 10개 종목, 시장, 시점, 상품 등으로 분산
   - 투자금이 어느정도 된다면 30개 이상 종목, 시장, 시점, 상품 등으로 분산
2) 산업과 지역은 다양화하되, 과도한 분산은 피하라.
   - 과도한 분산이란 분산의 의미가 없는데 단순히 개수만 늘리는 분산을 의미한다.
   - 모든 지역과 산업에 투자하기보다는 자신이 잘 아는 영역에 집중하라.
   - 어떠한 분산이 의미가 있는 분산일까?

4. 분산투자 성공 사례

1) ETF를 활용한 간편한 분산투자
   - 한 초보 투자자는 개별 주식 대신 S&P500 ETF와 신흥 시장 ETF에 투자했다.
   - 개별 기업의 리스크를 피하면서도 안정적인 성장률을 얻었다.

2) 성장주와 배당주의 조합
   - 한 투자자는 성장주(테크 기업)와 배당주(전통적 제조업체)를 조합해 투자했다.
   - 성장주의 상승으로 자본 수익을 얻고, 배당주로 안정적인 배당 수익을 확보했다.

3) 산업별 분산으로 위기 극복
   - 팬데믹 당시, 바이오 주식과 IT 주식에만 투자한 사람들은 손실을 입었지만, 바이오, IT, 전통 산업에 고르게 분산 투자한 사람들은 안정적인 수익을 유지했다.

5. 분산투자는 성공 투자의 기초다

분산투자는 단순히 위험을 피하는 것이 아니라, 시장 변동성을 효과적으로 활용하고 수익을 안정적으로 유지하는 방법이다.

- 산업, 지역, 자산군별로 적절히 분산하라.
- 지나치게 많은 분산은 피하고, 관리 가능한 수준을 유지하라.

이제 당신도 분산투자를 통해 안정적인 수익을 기대할 수 있는 준비가 되었다.
다음 투자에서는 분산의 원칙을 활용해 포트폴리오를 구성하고, 시장의 변동성 속에서 흔들리지 않는 성공적인 투자를 만들어보자!

8.2 리스크를 최소화하는 방법

투자, 위험을 줄이는 것이 먼저다

주식 투자는 매력적인 수익 기회를 제공하지만, 동시에 상당한 위험을 수반한다.
특히 초보 투자자라면 "어떻게 리스크를 줄이고 안정적인 투자를 할 수 있을까?"라는 고민이 크다.
이 장에서는 리스크를 최소화하는 실질적인 방법과 전략을 소개하며, 실전 사례를 통해 그 중요성을 이해해 보자.

1. 리스크의 종류와 이해

투자에서 리스크를 줄이려면 먼저 어떤 종류의 위험이 있는지 알아야 한다.

1) 시장 리스크
- 전체 시장의 변동성에서 비롯되는 위험이다.
- 경제 위기, 금리 상승, 정책 변화 등으로 인해 발생할 수 있다.

2) 기업 리스크
- 특정 기업의 재무 상태, 경영진의 실수, 산업 변화 등이 주가에 영향을 미친다.
- 예: 한 기업이 재무 부실로 파산할 경우 주가는 큰 폭으로 하락한다.

3) 심리적 리스크
- 투자자의 감정이 매수와 매도 타이밍을 왜곡시킬 수 있다.
- 공포에 의한 급매도, 탐욕에 의한 무리한 매수가 이에 해당한다.

2. 리스크를 최소화하는 방법

1) 분산투자
- 자산, 산업, 지역별로 투자 포트폴리오를 분산한다.

- 예: 주식, 채권, ETF, 금 등 다양한 자산에 분산 투자.

실전 팁

- 특정 산업에 올인하지 말고, 서로 다른 성격을 가진 자산에 투자하라.
- 예: 신흥국 주식의 리스크를 선진국 ETF로 보완.

2) 손절매 전략

- 매수한 주식이 목표치 이하로 하락하면 손실을 제한하기 위해 매도하는 전략.
- 손절가를 설정해 감정적인 결정을 방지한다.

실전 사례

한 투자자는 바이오 주식에서 10% 손절가를 설정해 예상보다 큰 하락을 피할 수 있었다. 손실을 제한한 덕분에 다음 투자 기회를 잡았다.

3) 포트폴리오 재조정

- 시장 변화에 따라 포트폴리오의 비중을 주기적으로 조정한다.
- 경기 침체기에는 방어주와 채권 비중을 늘리고, 성장기에는 성장주 비중을 높인다.

실전 팁

- 매년 또는 분기별로 포트폴리오를 점검하고, 비중을 재조정하라.

4) 현금 비중 유지

- 언제나 투자 자산의 일부를 현금으로 유지해 급락장에 대응한다.
- 현금은 시장 조정 시 매수 기회로 활용할 수 있다.

실전 사례

2020년 팬데믹 초기, 현금을 보유한 투자자들은 시장 폭락 후 저점에서 매수해 큰 수익을 거둘 수 있었다.

5) 재무제표 분석

- 기업의 재무 상태를 철저히 점검해 안정성이 높은 기업에 투자한다.
- 부채비율, 유동비율, 현금흐름을 통해 기업의 위기 대응 능력을 평가.

실전 팁

- 부채비율이 높은 기업은 경기 불황 시 위험이 크므로 피하라.

3. 심리적 리스크를 관리하는 방법

1) 투자 원칙 세우기

- 매수와 매도 타이밍, 목표 수익률, 손절가를 명확히 정하고 이를 철저히 지킨다.

2) 장기적인 관점 유지

- 단기적인 시장 변동에 흔들리지 않고, 기업의 장기적인 가치를 믿는다.

3) 과도한 매매 피하기

- 지나친 트레이딩은 수익보다 손실을 초래할 가능성이 크다.
- 시장을 분석하는 시간을 더 늘리고, 충동적인 매매를 피하라.

실전 사례

한 투자자는 공포에 빠져 저점에서 매도한 경험을 바탕으로 이후 목표 수익률과 손절가를 철저히 지키며 성공적인 투자를 이어갔다.

4. 리스크를 줄인 성공 투자 사례

한 초보 투자자는 성장 가능성이 높은 IT 주식만을 보유하고 있었다.
그러나 전문가의 조언에 따라 배당주, 채권, 금 ETF로 포트폴리오를 다변화했다.
2020년 시장 조정기에 IT 주식이 하락했지만, 방어적인 배당주와 채권에서 손실을 보완하며 꾸준한 수익을 유지할 수 있었다.
이 경험을 통해 분산투자와 위험 관리의 중요성을 깨달았다.

5. 리스크 관리, 성공 투자의 필수 조건

리스크를 완전히 없앨 수는 없지만, 최소화하는 것은 가능하다.
- 분산투자와 손절매, 포트폴리오 재조정으로 시장의 변동성에 대비하라.
- 감정적인 결정을 피하고, 철저한 분석과 계획을 바탕으로 투자하라.

이제 당신도 리스크를 최소화하는 전략을 세우고, 안정적이고 성공적인 투자의 길로 나아갈 준비가 되었는가?
다음 투자에서는 배운 전략을 활용해 흔들림 없는 결정을 내려보자. 성공적인 투자는 위험을 다루는 능력에서 시작된다!

8.3 투자 실패를 방지하는 체크리스트

실패에서 배우는 성공의 길

주식 투자는 누구나 실패를 경험할 수 있다. 그러나 이 실패는 철저히 준비하고 대비하면 줄일 수 있다.
워런 버핏은 "당신의 첫 번째 투자 규칙은 돈을 잃지 않는 것이며, 두 번째 규칙은 첫 번째 규칙을 절대 잊지 않는 것이다"라고 말했다.
이 장에서는 투자 실패를 방지하기 위한 실질적인 체크리스트를 제공하고, 유명한 사례와 사건을 통해 이를 더 깊이 이해해 보자.

1. 투자 실패를 부르는 흔한 실수

1) 분석 없는 투자

- 특정 주식이 "좋다"는 소문만 듣고 분석 없이 투자하는 경우.
- 기업의 실적, 산업의 전망, 재무 상태를 제대로 검토하지 않은 투자는 실패로 이어질 확률이 높다.

사례 이야기
2000년대 초 IT 버블 당시, 많은 사람들이 "닷컴" 기업이라는 이유만으로 투자했다.
그러나 수익 모델이 불확실했던 수많은 기업들이 버블 붕괴 후 파산하면서 투자자들은 큰 손실을 입었다.

2) 감정적 매매

- 공포와 탐욕이 투자 결정을 좌우하는 경우.
- 공포에 빠져 저점에서 매도하거나, 지나친 욕심으로 수익 실현 타이밍을 놓친다.

사례 이야기
2008년 금융 위기 당시, 많은 투자자들이 시장 폭락에 공포를 느끼고 저점에서 매도했다. 반면, 워런 버핏은 "다른 사람들이 두려워할 때 탐욕을 가져라"는 철학을 바탕으로 주요 기업에 투자하며 이후 큰 수익을 올렸다.

3) 리스크 관리 부족
- 분산투자 없이 특정 종목이나 산업에 과도하게 투자하는 경우.
- 갑작스러운 시장 변화로 인해 큰 손실을 입을 가능성이 높다.

사례 이야기

2015년 중국 증시 폭락 당시, 한 개인 투자자는 모든 자금을 중국의 특정 부동산 기업에 투자했다.

그 기업은 부채 문제로 파산하며 전 재산을 잃었지만, 분산투자를 했다면 피해를 줄일 수 있었다.

2. 투자 실패를 방지하는 체크리스트

1) 기업 분석
- 매수 전, 기업의 재무제표, 산업 전망, 경쟁력을 철저히 분석하라.
- 성장 가능성과 안정성을 함께 고려하라.

실전 팁

- PER, PBR, 매출 성장률, 순이익률 등을 검토하라.
- 산업 내 주요 경쟁사와 비교해 해당 기업의 경쟁 우위를 파악하라.

2) 리스크 관리
- 분산투자를 통해 특정 종목이나 산업에 대한 의존도를 낮추라.
- 손절가와 목표가를 명확히 설정하고, 이를 지켜라.

실전 사례

한 투자자는 IT, 바이오, 전통 제조업, ETF에 고르게 분산 투자했다.

팬데믹으로 IT와 바이오 주식이 하락했지만, 제조업과 ETF가 이를 상쇄하며 안정적인 수익을 유지했다.

3) 장기적인 관점 유지

- 단기적인 변동성에 흔들리지 말고, 기업의 장기 성장 가능성을 믿으라.
- 워런 버핏의 "10년간 보유할 주식이 아니라면 10분도 보유하지 말라"는 원칙을 기억하라.

4) 감정 통제

- 매매 시 감정적 결정을 피하고, 미리 세운 전략에 따라 실행하라.
- 시장 변동에 민감하게 반응하지 말고, 데이터를 기반으로 판단하라.

5) 외부 환경 분석

- 경제 지표, 금리, 환율, 정책 변화 등 시장 환경을 주기적으로 점검하라.
- 거시경제 환경이 특정 산업에 미칠 영향을 파악하라.

3. 유명한 실패와 교훈

1) 롱텀 캐피털 매니지먼트(LTCM)의 몰락

- 1998년, 노벨 경제학상을 받은 금융 전문가들이 이끄는 LTCM은 레버리지를 과도하게 사용해 큰 손실을 입고 파산했다.
- 교훈: 아무리 뛰어난 전략이라도 리스크 관리를 소홀히 하면 치명적인 결과를 초래할 수 있다.

2) 니콜라(Nikola) 사기 사건

- 전기차 스타트업 니콜라는 기술력에 대한 허위 주장을 통해 초기 투자자들에게 높은 평가를 받았다.
- 이후 사기 행각이 드러나면서 주가는 급락했고, 투자자들은 큰 손실을 입었다.
- 교훈: 기업의 기술력과 사업 모델을 철저히 검토하라.

3) 게임스톱(GameStop) 단타 열풍

- 2021년, 개미 투자자들이 게임스톱 주식의 공매도 세력을 상대로 단타 매매를 벌

이며 주가가 급등했다.

- 그러나 주가는 곧 폭락하며 단기 투자자들 중 다수가 손실을 입었다.
- 교훈: 투자는 장기적인 관점에서 이뤄져야 하며, 단기적 열풍에 휘말리지 말라.

4. 실패를 방지하기 위한 실전 사례

한 초보 투자자는 초기에 소문만 듣고 특정 바이오 주식에 전 재산을 투자해 큰 손실을 입었다.
이후 그는 재무제표와 산업 전망을 철저히 분석하고, 손절가를 설정하며, 포트폴리오를 다변화했다.
그 결과, 팬데믹 동안 신흥 시장 ETF와 배당주 투자로 꾸준한 수익을 얻으며 실패를 극복했다.

5. 실패를 줄이고 성공을 만드는 투자

투자에서 실패는 피할 수 없지만, 이를 최소화하고 배우는 것이 성공으로 가는 길이다.
- 철저한 분석, 리스크 관리, 감정 통제는 투자 실패를 방지하는 핵심 요소다.
- 워런 버핏, LTCM, 니콜라와 같은 사례에서 교훈을 얻고, 자신의 투자 전략에 반영하라.

다음 투자에서는 이 체크리스트를 참고해 더 나은 결정을 내려보자.
실패를 줄이는 순간, 당신은 성공적인 투자에 한 발 더 가까워질 것이다.

제3부 글로벌 시장으로 확장하기

9. 미국 주식 시장의 매력

9.1 다우존스, 나스닥, S&P500, 러셀2000의 차이와 특징

미국 주식 시장, 왜 중요한가?

미국 주식 시장은 글로벌 경제를 이끄는 중심이며, 그 흐름을 이해하는 것은 투자 성공의 열쇠다.
미국 시장을 대표하는 주요 지수로는 다우존스(Dow Jones), 나스닥(NASDAQ), S&P500, 그리고 러셀2000(Russell 2000)이 있다.
이 네 가지 지수는 서로 다른 특성과 강점을 가지며, 투자자들에게 다양한 정보를 제공한다.
이 장에서는 각 지수의 차이와 특징을 알아보고, 이를 투자에 어떻게 활용할 수 있는지 설명한다.

1. 다우존스 산업평균지수 (Dow Jones Industrial Average)

다우존스는 1896년 탄생한 가장 오래된 주식 지수로, 미국 주식 시장의 상징이다.
이 지수는 미국을 대표하는 30개 대기업의 주가를 기반으로 하며, 금융, 제조업, 소비재 등 다양한 산업군을 포함한다.
가격 가중 방식으로 계산되기 때문에, 주가가 높은 종목이 지수에 더 큰 영향을 미친다.

다우존스는 안정적이고 변동성이 적은 대기업 중심으로 구성되어, 미국 경제의 전반적인 건강 상태를 빠르게 파악하는 데 유용하다.
그러나 30개 종목만 포함되기 때문에 시장 전체를 대표하기엔 한계가 있으며, 기술주 비중이 낮아 최신 트렌드를 충분히 반영하지 못한다.

2. 나스닥 종합지수 (NASDAQ Composite)

나스닥은 기술주와 혁신 기업들의 흐름을 반영하는 지수다.
약 3,000개 이상의 나스닥 상장 기업으로 구성되며, IT, 헬스케어, 바이오 같은 고성장 산업이 주를 이룬다.
시가총액 가중 방식으로 계산되며, 기업의 규모가 클수록 지수에 큰 영향을 미친다.

나스닥은 기술주와 성장주의 성과를 파악하기에 적합하며, 혁신 산업의 트렌드를 읽을 수 있는 강력한 도구다.
하지만 기술주 중심의 특성 때문에 시장 변동성이 크고, 하락장에서는 큰 폭으로 하락할 수 있는 리스크가 있다.

3. S&P500 (Standard & Poor's 500)

S&P500은 미국의 시가총액 상위 500개 대기업으로 구성된 지수로, 미국 경제를 가장 폭넓게 대표한다.
기술, 금융, 헬스케어, 소비재 등 다양한 산업군을 포함하며, 시가총액 가중 방식으로 계산된다.

S&P500은 산업 다양성과 안정성을 바탕으로 미국 시장의 전반적인 흐름을 가장 잘 반영한다.
다우존스나 나스닥과 비교해 균형 잡힌 정보를 제공하며, 글로벌 투자자들이 가장 선호하는 지수 중 하나다.
다만, 중소형 기업의 성과를 반영하지 못한다는 한계가 있다.

4. 러셀2000 (Russell 2000)

러셀2000은 미국의 중소형주를 대표하는 지수로, S&P500이 대기업 중심이라면 러셀2000은 중소형 기업의 흐름을 보여준다.
2,000개의 중소형 기업으로 구성되며, 성장 초기 단계에 있는 기업들이 포함된다.

이는 미국 내 다양한 기업군을 대표하며, 대기업과는 다른 독특한 투자 기회를 제공한다.

러셀2000은 중소형주의 성장 가능성을 반영해, 장기적으로 높은 수익률을 기대할 수 있다.
다만, 중소형 기업 특성상 변동성이 크고, 경제 불황기에는 상대적으로 취약하다.
투자자들은 이를 활용해 대기업 위주의 포트폴리오를 보완하거나 성장성을 기대할 수 있는 자산군으로 접근할 수 있다.

세 지수 비교 요약

다우존스는 미국을 대표하는 대기업 30개의 주가를 기준으로 미국 경제의 안정성을 나타낸다.
나스닥은 기술주와 혁신 산업의 흐름을 반영하며, 성장주 중심의 트렌드를 파악하기에 적합하다.
S&P500은 대기업 500개의 주가를 통해 미국 시장 전체의 전반적인 흐름을 보여주는 균형 잡힌 지수다.
마지막으로 러셀2000은 중소형주의 성과를 측정하며, 성장 가능성이 높은 초기 단계 기업들을 포함해 포트폴리오에 다양한 선택지를 추가할 수 있다.

5. 실전에서 활용하기

1) 안정성을 원한다면 다우존스
  - 다우존스는 블루칩 기업들로 구성되어 안정적인 투자 전략을 세우기에 적합하다.
  - 예: 배당주 투자, 안정적인 수익을 목표로 할 때.

2) 기술주와 혁신에 집중한다면 나스닥
  - 나스닥은 IT, 헬스케어, 바이오 같은 고성장 산업군에 관심 있는 투자자들에게 필수적이다.
  - 예: 장기적인 기술주 투자.

3) 미국 시장 전체를 대표하는 투자를 원한다면 S&P500
- S&P500은 미국 경제 전반에 투자하고 싶은 투자자에게 적합하다.
- 예: ETF를 통한 안정적인 장기 투자.

4) 중소형주의 성장 가능성을 노린다면 러셀2000
- 러셀2000은 대기업보다 높은 성장성을 가진 중소형주에 투자할 때 유용하다.
- 예: 초기 단계 기업 발굴, 공격적인 성장주 투자.

6. 유명 사건과 교훈

1) 2008년 금융 위기와 다우존스
- 금융 위기 당시 다우존스는 50% 가까이 하락했지만, 이후 꾸준히 회복하며 장기 투자자들에게 수익을 안겼다.
- 교훈: 대기업 중심의 안정적 투자는 시간이 지나며 시장 회복의 혜택을 볼 수 있다.

2) 2020년 팬데믹과 나스닥
- 기술주가 중심인 나스닥은 팬데믹 이후 가장 빠르게 회복하며 사상 최고치를 경신했다.
- 교훈: 혁신 산업은 위기 속에서도 강한 회복력을 보인다.

3) 러셀2000의 중소형주 활약
- 2010년대 중반, 중소형주가 빠르게 성장하며 러셀2000 지수가 주목받았다.
- 교훈: 중소형주는 변동성이 크지만, 성장 잠재력을 기반으로 큰 수익을 제공할 수 있다.

7. 당신의 투자 스타일에 맞는 지수 선택하기

미국 주식 시장의 네 가지 주요 지수는 각각의 장단점과 특성을 가지고 있다.

- 다우존스는 안정적이고 전통적인 기업을 중심으로,
- 나스닥은 혁신적이고 고성장 산업에 중점을 두며,
- S&P500은 미국 경제의 전반적인 흐름을 가장 잘 반영한다.
- 러셀2000은 중소형주의 성장 가능성을 반영하며, 공격적인 투자에 적합하다.

이제 당신은 어떤 지수를 선택해 투자할 것인가?
혹은 네 지수의 강점을 조합해 더 효과적인 포트폴리오를 구성할 것인가?
다음 투자에서 이 지수들을 활용해 글로벌 시장에서 한 걸음 더 나아가 보자!

9.2 미국 주식이 주는 수익 기회

왜 미국 주식인가?

미국 주식 시장은 세계 최대 규모로, 글로벌 투자자들에게 다양한 기회를 제공한다.
S&P500, 나스닥, 다우존스, 러셀2000 같은 지수는 미국 경제의 다면적인 특성을 반영하며, 투자자들에게 성장과 안정성을 동시에 제공한다.
이 장에서는 미국 주식이 주는 주요 수익 기회를 알아보고, 이를 실전 투자에 어떻게 활용할 수 있는지 살펴본다.

1. 세계 최대 시장의 안정성과 유동성

1) 안정적인 경제 기반
- 미국은 세계 최대의 경제 규모를 자랑하며, 정치적·경제적 안정성이 뛰어나다.
- 글로벌 기축 통화인 달러와 세계 경제의 중심지 역할을 하는 뉴욕 증권거래소(NYSE)는 미국 주식 시장의 신뢰도를 높인다.

2) 높은 유동성
- 미국 시장은 유동성이 매우 커, 언제든지 매수·매도가 가능하다.
- 대규모 거래량 덕분에 공정한 가격 형성과 빠른 거래가 가능하다.

실전 사례
팬데믹 기간 동안 글로벌 경제가 흔들렸지만, 미국 시장은 빠르게 회복하며 전 세계 투자자들에게 높은 안정성과 신뢰를 보여주었다.
특히, 나스닥의 기술주와 S&P500의 대기업들은 글로벌 자금을 끌어들였다.

2. 다양한 투자 선택지

1) 대형 기술주 (FAANG)
- 미국은 세계적인 기술 대기업의 본고장으로, 페이스북(메타), 애플, 아마존, 넷플릭

스, 구글(알파벳) 같은 기업들이 주도한다.

- 이들 기업은 혁신과 글로벌 시장 점유율을 기반으로 높은 성장성을 보여준다.

2) 성장주와 가치주의 균형

- 나스닥과 러셀2000은 성장 가능성이 높은 기업에 투자 기회를 제공한다.
- S&P500과 다우존스는 안정성과 배당 수익을 원하는 투자자들에게 적합하다.

3) 다양한 산업군

- 미국 시장은 IT, 헬스케어, 금융, 소비재, 에너지 등 다양한 산업에 걸쳐 투자가 가능하다.
- 특정 산업에 국한되지 않고, 글로벌 경제 트렌드에 맞춘 투자 기회를 제공한다.

실전 팁

- IT와 헬스케어처럼 성장 가능성이 높은 산업에 집중하되, 소비재와 금융 같은 방어적 산업으로 포트폴리오를 다변화하라.

사례 이야기

한 투자자는 IT 중심의 나스닥 ETF와 안정적인 배당주로 구성된 다우존스 ETF를 함께 투자해, 시장 변동성에도 꾸준한 수익을 유지했다.

3. 성장과 배당, 두 마리 토끼 잡기

1) 고성장 기업의 투자 기회

- 미국은 혁신적인 신생 기업과 고성장 기업이 활발히 상장되는 시장이다.
- 전기차, 클라우드 컴퓨팅, 인공지능(AI) 등 미래를 이끄는 산업에 투자할 수 있다.

실전 사례

테슬라는 전기차와 에너지 저장 기술을 바탕으로 성장하며 투자자들에게 큰 수익을 안겨주었다.

이와 함께, 데이터 분석 기업 팔란티어 테크놀로지는 정부와 기업의 데이터 활용 솔루션 제공으로 성장 가능성을 보여주며 주목받고 있다.

2) 배당주로 안정적 수익 확보

- 다우존스와 S&P500에는 꾸준히 배당을 지급하는 안정적인 기업들이 포함되어 있다.
- 배당주는 경제 위기 상황에서도 일정한 수익을 기대할 수 있다.

실전 사례

코카콜라와 존슨앤드존슨 같은 기업은 경제 위기 속에서도 안정적으로 배당을 지급하며 투자자들에게 꾸준한 수익을 제공했다.

4. 글로벌 경제 트렌드 반영

1) 미국 주식은 세계 경제를 선도한다

- 미국은 혁신 기술과 소비 트렌드를 주도하며, 글로벌 시장을 이끄는 역할을 한다.
- 미국 기업에 투자하면 세계 경제 성장의 과실을 간접적으로 누릴 수 있다.

2) 달러 자산으로 리스크 관리

- 미국 주식에 투자하면 달러 기반 자산에 노출되어, 환율 변동을 활용한 리스크 관리와 추가 수익을 기대할 수 있다.
- 특히 원화 약세 시 달러 자산의 가치 상승으로 추가적인 이익을 볼 수 있다.

사례 이야기

팬데믹 이후 달러 강세로 인해 미국 주식 투자자들은 환차익까지 얻으며 높은 수익률을 기록했다.

5. 미국 주식 투자 성공 전략

1) ETF를 활용한 분산투자

- S&P500 ETF, 나스닥 ETF, 러셀2000 ETF 등 다양한 지수를 활용해 포트폴리오를 구성하라.

- 개별 주식의 리스크를 줄이면서 미국 경제의 성장에 참여할 수 있다.

2) 장기적인 관점 유지

- 단기적인 시장 변동성에 흔들리지 않고, 미국 주식 시장의 장기 성장성을 믿고 투자하라.

3) 미래 산업에 집중

- 전기차, AI, 헬스케어, 재생에너지 등 미국이 주도하는 미래 산업에 투자하라.

실전 팁

- S&P500 ETF로 안정성을 확보하고, 나스닥 ETF로 기술주의 성장 가능성을 추가하라.
- 소규모 자금으로 러셀2000 ETF에 투자해 중소형주의 잠재력을 활용하라.

6. 미국 주식, 글로벌 투자의 핵심

미국 주식은 안정성과 성장성을 동시에 제공하며, 글로벌 투자에서 빼놓을 수 없는 선택지다.

- 대형 기술주와 고성장 산업의 투자 기회를 제공하는 나스닥,
- 안정적인 대기업과 배당주의 다우존스와 S&P500,
- 중소형주의 잠재력을 보여주는 러셀2000은 각각의 강점을 가지고 있다.

이제 당신도 미국 주식 시장에서 제공하는 기회를 활용해 포트폴리오를 글로벌로 확장해 보자.

미국 주식이 가진 매력을 이해하고, 이를 실전 투자에 반영한다면, 당신의 자산은 더욱 풍성해질 것이다!

9.3 글로벌 경제와 시장의 관계

글로벌 경제와 미국 주식 시장은 어떻게 연결되는가?

미국 주식 시장은 단순히 미국 경제를 반영하는 것에 그치지 않고, 글로벌 경제의 흐름과 긴밀히 연결되어 있다.
이 장에서는 미국 주식 시장과 글로벌 경제의 상호작용을 살펴보고, 이를 투자 전략에 어떻게 활용할 수 있는지 알아본다.

1. 미국 시장, 글로벌 경제의 중심

1) 글로벌 기축통화와 달러 패권
- 미국 달러는 세계의 기축통화로, 국제 무역과 금융에서 핵심적인 역할을 한다.
- 글로벌 기업들은 달러 표시 자산과 부채를 운용하므로, 미국 경제의 변동이 세계 경제에 직접적인 영향을 미친다.

2) 다국적 기업의 영향력
- 미국의 대형 기업들은 글로벌 시장에서 주요한 수익을 창출한다.
- 예: 애플, 구글, 마이크로소프트 등은 미국 내 매출뿐 아니라 전 세계 매출 비중이 높다.

실전 팁
미국 대기업의 실적 발표는 글로벌 경제의 건강 상태를 파악하는 데 중요한 힌트가 될 수 있다.
예를 들어, 애플의 매출이 아시아에서 급감한다면, 이는 해당 지역의 소비 감소를 나타낼 수 있다.

2. 미국 주식 시장이 글로벌 경제에 미치는 영향

1) 금리와 유동성의 흐름

- 미국 연방준비제도(Fed)의 금리 결정은 글로벌 금융 시장의 유동성에 직접적인 영향을 미친다.
- 금리가 상승하면 글로벌 자금이 미국으로 몰리고, 이는 신흥 시장에서 자본 유출로 이어질 수 있다.
- 반대로, 금리가 낮아지면 글로벌 시장에 유동성이 풍부해져 위험 자산 선호도가 증가한다.

사례 이야기

2013년 테이퍼 탠트럼(Taper Tantrum) 당시, 미국이 양적완화를 축소하자 신흥 시장에서 자금이 유출되며 큰 충격을 받았다.

미국 주식 시장은 상대적으로 안정적이었지만, 글로벌 투자자들에게는 미국 금리 변화의 중요성을 다시 일깨운 사건이었다.

2) 글로벌 공급망과 무역의 연결고리

- 미국은 글로벌 공급망에서 중심적인 역할을 한다.
- 미국 기업의 실적과 주가 흐름은 글로벌 무역 상황을 반영하며, 반대로 글로벌 경제 변화도 미국 주식 시장에 영향을 미친다.

실전 사례

2020년 팬데믹 초기, 글로벌 공급망의 혼란으로 인해 미국 내 제조업체의 주가가 급락했다.

그러나 팬데믹 이후 공급망 회복과 함께 이러한 기업들은 빠르게 주가를 회복하며 글로벌 경제와 밀접한 관계를 보여주었다.

3. 글로벌 경제가 미국 주식 시장에 미치는 영향

1) 글로벌 성장률과 소비 패턴 변화

- 중국, 유럽, 인도 등 주요 경제국들의 성장률 변화는 미국 주식 시장에도 영향을 미친다.
- 특히, 다국적 기업의 매출이 글로벌 시장에 크게 의존하기 때문에 해외 경제 상황

이 미국 기업 실적에 직접적으로 반영된다.

2) 원자재 가격의 변동

- 석유, 금, 구리와 같은 원자재 가격은 글로벌 경기와 미국 기업의 수익성에 영향을 준다.
- 예: 원유 가격이 상승하면 에너지 기업 주가는 오르지만, 운송업체와 제조업체의 비용은 증가해 주가에 부정적인 영향을 미칠 수 있다.

3) 환율 변동

- 달러 강세는 미국 기업의 수출 경쟁력을 약화시키고, 해외에서 발생하는 수익의 환율 이익을 줄인다.
- 반대로, 달러 약세는 미국 기업의 글로벌 수익을 높여 긍정적으로 작용한다.

실전 팁

- 환율 변동이 큰 시기에는 다국적 기업보다 내수 중심 기업에 더 초점을 맞추자.
- 원자재 가격 상승 시 에너지 ETF나 관련 기업에 투자하는 것도 좋은 전략이다.

4. 글로벌 경제와 미국 주식 시장의 상호작용 활용하기

1) 미국 시장과 신흥 시장의 상호 보완

- 미국 주식은 안정성과 장기 성장을 제공하며, 신흥 시장 주식은 높은 성장 가능성을 제공한다.
- 글로벌 포트폴리오를 구성해 미국과 신흥 시장의 강점을 동시에 활용할 수 있다.

실전 팁

- S&P500 ETF와 신흥 시장 ETF를 결합해 분산 투자의 효과를 극대화하라.
- 신흥 시장이 불안정할 때는 미국 대형주로 비중을 이동하라.

2) 경제 지표와 주식 시장의 상관성 분석

- 미국 고용지표, 소비자 신뢰지수, 글로벌 제조업 지표(PMI) 등을 통해 경제 흐름을

예측하라.
- 경제 지표가 개선되면 소비재와 금융주, 악화되면 방어주와 금 ETF에 투자하라.

3) 정치적 사건과 무역 갈등 대비
- 미국과 중국의 무역 갈등, 유럽의 정치적 불안정 등은 글로벌 경제와 미국 주식 시장 모두에 큰 영향을 미친다.
- 특정 지역의 불안정성 증가 시, 미국 내수 중심 기업이나 기술주로 관심을 돌려라.

5. 미국 주식 시장을 통한 글로벌 경제 접근법

미국 주식 시장은 단순히 미국 경제를 반영하는 것이 아니라, 글로벌 경제의 변화를 탐지하고 활용할 수 있는 훌륭한 도구다.
- 글로벌 경제가 호황일 때는 미국 기술주나 다국적 기업에 투자하라.
- 글로벌 경제가 침체기에 접어들면 미국 내수 중심 기업과 방어주로 포트폴리오를 조정하라.

6. 성공 투자로 가는 길: 글로벌 경제와 미국 시장의 통합

미국 주식 시장은 글로벌 경제의 흐름과 밀접하게 연결되어 있다.
금리, 환율, 원자재 가격, 글로벌 성장률 등 다양한 요인이 시장에 영향을 미치며, 이를 이해하면 투자 기회를 극대화할 수 있다.
미국 주식 시장을 통해 글로벌 경제를 읽고, 이를 투자 전략에 반영하면 더 큰 성공을 기대할 수 있다.

이제 당신도 글로벌 경제와 미국 주식 시장의 연결고리를 활용해 투자에 나설 준비가 되었는가? 다음 투자에서 이 지식을 적극적으로 활용해보자!

10. 미국 주식 투자 실전 가이드

10.1 미국 주식 계좌 개설 및 거래 방법

글로벌 투자의 첫걸음, 미국 주식 계좌 개설

미국 주식에 투자하려면 먼저 미국 주식 계좌를 개설해야 한다.
과거에는 복잡하고 까다로운 절차로 느껴졌지만, 최근에는 국내 증권사들이 미국 주식 거래 서비스를 제공하면서 간단하게 계좌를 개설할 수 있게 되었다.
이 장에서는 미국 주식 계좌 개설과 거래 방법을 상세히 살펴보며, 초보자도 쉽게 시작할 수 있는 팁을 제공한다.

1. 미국 주식 계좌 개설 방법

1) 국내 증권사를 통한 계좌 개설
  국내 증권사 대부분이 미국 주식 거래 서비스를 지원하므로, 이를 이용하면 별도의 해외 계좌를 개설하지 않아도 된다.

절차
- 국내 증권사 계좌 개설: 신분증과 은행 계좌를 준비해 가까운 지점 또는 모바일 앱을 통해 계좌를 개설한다.
- 해외 주식 거래 신청: 기존 계좌에 해외 주식 거래 기능을 활성화한다.
- 외화 예수금 계좌 개설: 미국 주식을 거래하려면 달러로 결제해야 하므로, 외화 계좌를 연동해야 한다.

실전 팁
- 비대면 계좌 개설이 가능한 증권사를 이용하면 시간과 노력을 절약할 수 있다.
- KB증권, NH투자증권, 미래에셋증권 등 주요 증권사 앱에서 간편하게 개설 가능하다.

2) 해외 증권사를 통한 계좌 개설

로빈후드(Robinhood), 인터랙티브 브로커스(Interactive Brokers) 같은 해외 증권사에서도 직접 계좌를 개설할 수 있다.

장점
- 낮은 수수료와 다양한 투자 상품 제공.
- 미국 주식뿐 아니라 글로벌 주식 시장에 쉽게 접근 가능.

단점
- 영어로 진행되는 절차와 환전의 번거로움.
- 세금 신고 등 국내보다 복잡한 절차.

실전 팁
- 거래량이 많거나 고급 투자 옵션을 선호한다면 해외 증권사를 고려하라.
- 초보자는 국내 증권사에서 시작하는 것이 더 쉽다.

2. 미국 주식 거래의 기본

1) 거래 시간
- 미국 주식은 한국 시간 기준으로 밤 10시 30분(서머타임 시 11시 30분)부터 다음 날 새벽 5시까지 거래된다.
- 정규 거래 시간 외에도 프리마켓(정규 거래 전)과 애프터마켓(정규 거래 후)에서 거래가 가능하다.

실전 팁
- 주요 뉴스는 정규 거래 시간 동안 발표되는 경우가 많으므로, 거래 시간대를 잘 활용
- 프리마켓과 애프터마켓 거래는 유동성이 낮아 가격 변동이 클 수 있으니 주의하라.

2) 환전 및 외화 예수금
- 미국 주식을 거래하려면 달러로 환전 후 거래해야 한다.
- 대부분의 국내 증권사는 앱 내에서 환전 서비스를 제공하며, 환율 우대 혜택도 받

을 수 있다.

실전 팁
- 환율 변동에 민감한 투자자는 환율 우대 쿠폰이나 자동 환전 기능을 활용하라.
- 환전 타이밍을 잡기 어려울 때는 소액으로 분할 환전을 고려하라.

3) 수수료 구조 이해하기
- 미국 주식 거래에는 매매 수수료와 환전 수수료가 발생한다.
- 증권사마다 수수료율이 다르므로 비교 후 선택하라.

실전 팁
- 신규 투자자를 대상으로 수수료를 면제하거나 할인해 주는 프로모션을 적극 활용하라.
- 거래량이 많을 경우, 정액제 수수료 옵션을 제공하는 증권사를 선택하라.

3. 초보자를 위한 미국 주식 거래 팁

1) 소액 투자부터 시작하라
- 미국 주식은 1주 단위로 거래할 수 있으며, 아마존이나 테슬라 같은 고가 주식도 소수점 단위로 투자 가능하다.
- 국내 증권사 앱에서 소수점 거래 서비스를 이용해 적은 금액으로도 투자할 수 있다.

실전 사례
한 초보 투자자는 소수점 거래로 10만 원을 투자해 애플 주식 0.3주를 매수했다.
이를 통해 미국 주식 시장에 대한 경험을 쌓으며 자신감을 얻었다.

2) ETF로 분산투자하라
- 미국 주식 초보자라면 개별 주식보다 S&P500 ETF, 나스닥 ETF 같은 대표 지수 ETF로 분산 투자하는 것이 좋다.

실전 사례

한 투자자는 QQQ(나스닥 100 ETF)에 투자해 나스닥 대형주들의 성장을 기반으로 안정적인 수익을 올렸다.

3) 뉴스와 경제 지표에 주목하라

- 미국 고용 지표, 소비자 신뢰 지수, 연방준비제도(Fed) 정책 등 주요 경제 지표를 정기적으로 확인하라.
- 기업 실적 발표 시기에 맞춰 투자 계획을 조정하라.

실전 팁

- 야후 파이낸스, 블룸버그 같은 글로벌 금융 플랫폼을 활용해 미국 시장 뉴스를 실시간으로 확인하라.

4. 미국 주식, 글로벌 투자로 가는 첫걸음

미국 주식 계좌 개설과 거래는 생각보다 간단하다.

- 국내 증권사를 통해 손쉽게 시작할 수 있으며,
- 환전과 거래 시간을 이해하면 누구나 글로벌 시장에 접근할 수 있다.

이제 당신도 미국 주식 시장에 첫발을 내딛을 준비가 되었는가?
ETF와 소수점 거래로 부담 없이 시작하고, 차근차근 글로벌 투자자로 성장해보자.
다음 장에서는 미국 주식 투자를 위한 세금과 환율 관리 전략을 다룬다.
이제 당신의 글로벌 투자 여정을 함께 시작해 보자!

10.2 세금과 환율을 고려한 투자 전략

미국 주식 투자, 세금과 환율을 모르면 손실로 이어진다

미국 주식 투자에서 세금과 환율은 수익률에 직접적인 영향을 미치는 중요한 요소다. 이 장에서는 미국 주식 투자 시 발생하는 세금과 환율의 영향을 자세히 살펴보고, 이를 최소화하기 위한 전략을 소개한다.

1. 미국 주식 투자 시 발생하는 세금

1) 배당소득세
- 미국 주식을 보유하면 기업이 배당금을 지급할 경우 세금이 부과된다.
- 미국은 외국인 투자자에게 배당금의 15%를 원천징수한다.
- 예: 배당금이 100달러라면, 15달러는 미국 정부가 원천징수하고 85달러만 지급된다.

실전 팁
- 배당 소득세를 줄이기 위해 배당 수익률이 높은 주식보다 성장주 위주의 투자로 전환할 수 있다.
- 배당금을 재투자해 복리 효과를 극대화하는 전략도 고려하라.

2) 양도소득세
- 국내 투자자는 미국 주식 매도 시 발생한 차익에 대해 양도소득세를 납부해야 한다.
- 양도차익 250만 원까지는 비과세, 이를 초과하면 22%의 세율(지방소득세 포함)이 부과된다.

실전 사례
한 투자자가 애플 주식으로 300만 원의 차익을 얻었다면, 250만 원을 제외한 50만 원에 대해 약 11만 원의 세금을 납부해야 한다.

실전 팁

- 연도별로 차익을 조정해 비과세 한도를 활용하라.
- 손실이 발생한 주식과 함께 매도해 양도차익을 상쇄하는 방법도 유용하다.

3) 증권거래세 없음

- 미국 주식은 한국 주식과 달리 매도 시 증권거래세가 부과되지 않는다.

2. 환율이 투자에 미치는 영향

1) 환율 변동과 수익률

- 미국 주식은 달러로 거래되기 때문에 환율 변동이 수익률에 큰 영향을 미친다.
- 원화 약세(환율 상승) 시 달러 자산의 가치는 상승하고, 원화 강세(환율 하락) 시 달러 자산의 가치는 하락한다.

실전 사례

환율이 1,100원일 때 10,000달러어치 주식을 매수한 투자자는, 환율이 1,200원으로 상승하면 100만 원의 환차익을 얻는다.
반대로 환율이 1,000원으로 하락하면 100만 원의 환손실이 발생한다.

2) 환율 우대와 환전 전략

- 국내 증권사에서는 환율 우대 혜택을 제공하는 경우가 많으니 이를 활용하라.
- 환율이 낮을 때 분할 환전하여 리스크를 분산하는 것도 좋은 방법이다.

실전 팁

- 투자 금액이 크다면 환율 변동에 더 민감해지므로, 환율 변동성을 줄이기 위해 정기적으로 소액 환전하라.
- 환율 우대 쿠폰을 제공하는 증권사를 선택하거나 자동 환전 서비스를 이용하라.

3. 세금과 환율을 고려한 투자 전략

1) 배당 소득세를 줄이는 방법

- 배당이 없는 성장주 위주의 포트폴리오를 구성하면 배당 소득세를 피할 수 있다.
- 예: 테슬라, 팔란티어 테크놀로지처럼 배당을 지급하지 않고 성장을 목표로 하는 기업.

2) 양도소득세 최적화
- 양도차익이 250만 원을 초과하지 않도록 연도별로 차익을 분산시켜 매도하라.
- 손실이 발생한 주식과 차익이 있는 주식을 동시에 매도해 세금을 줄일 수 있다.

3) 환율 리스크 관리
- 장기 투자자는 환율 변동이 큰 시기에는 매수를 자제하고, 안정적인 환율 시기에 분할 매수하라.
- 해외 투자 전용 통장을 활용하면 환전 수수료를 절감할 수 있다.

4) ETF로 세금 부담 최소화
- 배당 소득세와 양도소득세를 줄이기 위해 미국 주식 ETF를 활용할 수 있다.
- 예: 배당 수익보다는 자본 이득을 목표로 하는 ETF 선택.

실전 사례
한 투자자는 미국 기술주 ETF에 투자해 배당 소득세를 피하고, 성장에 따른 자본 차익으로 세금 부담을 최소화했다.

4. 세금과 환율을 이해한 투자 성공 사례

1) 성장주 중심 투자
- 한 투자자는 배당 소득세를 줄이기 위해 성장률이 높은 기술주와 바이오주에 집중 투자했다.
- 배당 대신 주가 상승으로 차익을 실현하며 세금 부담을 낮췄다.

2) 환율 변동 대응 전략
- 환율 변동성이 높은 시기에 분할 환전을 통해 평균 환율을 낮추는 전략을 사용했다.

- 환율이 안정된 시기에 추가 환전으로 비용을 줄이며, 달러 자산의 가치를 극대화했다.

3) 양도소득세 조정
- 연말에 손실이 발생한 종목과 차익이 있는 종목을 동시에 매도해 양도소득세를 크게 줄였다.

5. 세금과 환율, 미국 주식의 숨은 비용을 다루는 법

미국 주식은 매력적인 투자 기회를 제공하지만, 세금과 환율이라는 숨은 비용이 수익을 잠식할 수 있다.
- 세금을 줄이는 전략을 세우고, 환율 변동에 유연하게 대응하라.
- ETF와 성장주를 활용해 세금 부담을 줄이고, 환율 우대 혜택을 적극 활용하라.

이제 당신도 세금과 환율을 고려한 투자 전략으로 미국 주식에서 더 높은 수익을 거둘 준비가 되었는가?
다음 장에서는 성공적인 미국 주식 투자 사례를 통해 실제 시장에서 활용할 수 있는 팁을 알아본다!

10.3 FAANG 종목과 기타 성공 사례 분석

미국 주식, 왜 FAANG에 주목하는가?

FAANG은 페이스북(메타), 애플, 아마존, 넷플릭스, 구글(알파벳)을 지칭하며, 미국 주식 시장을 대표하는 기술 대기업들이다.
이 기업들은 글로벌 시장에서 독보적인 위치를 차지하며, 주식 투자자들에게 꾸준히 높은 수익을 제공해왔다.
이 장에서는 FAANG 종목과 함께 테슬라, 팔란티어, 마이크로스트래티지 같은 기업들의 성공 사례를 분석하며, 실전에서 활용할 수 있는 투자 인사이트를 제공한다.

1. FAANG 종목 분석

1) 페이스북 (Meta Platforms)

- 전 세계 소셜 네트워크의 강자로, 인스타그램과 왓츠앱을 포함한 방대한 사용자 네트워크를 보유.
- 최근에는 메타버스 사업에 집중하며 새로운 성장 동력을 모색.

실전 사례
2012년 상장 당시 페이스북 주식을 매수한 투자자는 플랫폼 사용자 증가와 광고 매출 성장으로 수익률이 20배 이상 상승했다.

투자 포인트
- 메타버스와 AI 기반 광고 기술에 대한 장기적인 성장 가능성.

2) 애플 (Apple)

- 아이폰, 아이패드, 맥북 등 하드웨어와 iOS 생태계를 중심으로 소비자 충성도가 높은 브랜드.
- 구독 서비스(Apple Music, iCloud)의 매출 확대와 하드웨어 판매가 안정적.

실전 사례
애플은 2000년대 초반 혁신적인 제품 출시와 생태계 강화로 주가가 꾸준히 상승하며, 초기 투자자들에게 막대한 수익을 안겨주었다.

투자 포인트
- 강력한 브랜드 파워와 구독 서비스 매출의 꾸준한 성장.

3) 아마존 (Amazon)

- 글로벌 전자상거래와 클라우드 컴퓨팅(AWS)의 리더.
- AWS는 전체 매출의 큰 비중을 차지하며, 안정적인 수익원 역할.

실전 사례
아마존은 1990년대 전자상거래 기업으로 출발했지만, 클라우드 컴퓨팅 사업으로 확장하며 수익 구조를 다변화했다.
2000년대 초반 투자자들은 100배 이상의 수익률을 경험했다.

투자 포인트
- 클라우드 서비스와 글로벌 전자상거래 시장에서의 지속적인 성장.

4) 넷플릭스 (Netflix)

- 글로벌 스트리밍 플랫폼의 선두주자로, 독창적인 콘텐츠 제작을 통해 시장 점유율 확대.

실전 사례
2010년대 넷플릭스는 기존 TV 방송에서 스트리밍 서비스로 전환하며 급격한 매출 성장을 이루었다.
초기 투자자들은 주가 상승으로 큰 수익을 얻었다.

투자 포인트
- 신규 시장 진출과 오리지널 콘텐츠 제작의 확대.

5) 구글 (Alphabet)

- 검색 엔진, 유튜브, 클라우드, 자율주행(웨이모) 등 다양한 분야에서 혁신.

실전 사례

구글은 검색 광고 매출과 유튜브의 글로벌 성장 덕분에 꾸준히 주가 상승을 기록했다.

클라우드 시장에서도 점유율을 확대하며 안정적인 성장을 이어가고 있다.

투자 포인트

- 유튜브 광고와 클라우드 사업의 매출 증가, 자율주행 기술 상용화 가능성.

2. FAANG 외 주목할 성공 사례

1) 테슬라 (Tesla)

- 전기차와 에너지 저장 시스템 시장의 혁신을 이끄는 기업.
- 자율주행 기술과 AI 기반 에너지 관리 솔루션을 통해 성장.

실전 사례

테슬라는 전기차 시장 확대와 생산 규모 증가로 주가가 폭발적으로 상승했다.

초기 투자자들은 수백 배의 수익을 경험했다.

투자 포인트

- 전기차 시장의 확장성과 에너지 저장 기술의 혁신.

2) 팔란티어 테크놀로지 (Palantir Technologies)

- 데이터 분석과 인공지능 솔루션 제공, 주로 정부와 대기업 고객을 대상으로 함.

실전 사례

정부 기관과 대기업의 데이터 관리 수요 증가로 매출이 꾸준히 성장하며 투자자들에게 주목받았다.

팬데믹 동안 데이터 기반 의사결정 수요 증가로 주가가 상승했다.

투자 포인트
- 데이터 기반 솔루션의 시장 확대와 AI 기술 활용.

3) 마이크로스트래티지 (MicroStrategy)

- 비트코인 투자와 클라우드 기반 데이터 분석 솔루션으로 유명.

실전 사례
마이크로스트래티지는 비트코인 투자로 인해 주가 변동성이 높지만, 초기 투자자들에게는 큰 수익을 안겨주었다.
데이터 분석 시장에서도 꾸준히 성장하고 있다.

투자 포인트
- 비트코인 가격과 데이터 분석 시장 성장의 동반 효과.

3. 실전 투자 전략

1) FAANG과 기타 성장주의 조합

- FAANG 종목은 안정성과 성장성을 모두 제공하며, 기타 혁신 기업들은 추가적인 성장 기회를 제공한다.

포트폴리오 예시
- 안정적 투자: FAANG 종목 60%, ETF 30%, 성장주 10%.
- 고성장 투자: 혁신 기업 50%, 나스닥 ETF 30%, FAANG 종목 20%.

2) 분석을 기반으로 한 장기 투자

- FAANG과 같은 대형 기술주는 장기적인 성장 가능성이 크므로, 단기 변동에 흔들리지 않는 투자 전략이 중요하다.
- 새로운 성장 산업(예: AI, 전기차)에서 초기 단계 기업 발굴.

4. 성공 투자로 가는 길

FAANG 종목과 기타 성공 사례는 기술 혁신과 글로벌 성장의 강력한 동력을 제공한다.

- FAANG은 안정적인 장기 성장 기반을, 팔란티어와 같은 혁신 기업은 높은 성장 가능성을 제공한다.
- 포트폴리오를 구성할 때 안정성과 성장성을 조화롭게 배분하라.

이제 당신도 FAANG과 성장주를 활용해 미국 주식 시장에서 성공적인 투자 여정을 시작할 준비가 되었는가?
다음 장에서는 미국 주식 외에도 ETF와 글로벌 시장 투자 전략을 다룬다. 글로벌 투자자로서 더 큰 도약을 준비해보자!

11. ETF와 글로벌 투자

11.1 ETF의 기본 개념과 매력

ETF, 투자자들의 만능 도구

ETF(Exchange Traded Fund)는 주식처럼 거래되는 펀드로, 특정 지수나 자산군의 성과를 추적하는 상품이다.
주식 투자보다 리스크를 분산하면서도, 수수료가 낮고 접근성이 뛰어나 초보자부터 전문투자자까지 널리 사용된다.
이 장에서는 ETF의 기본 개념과 장점을 알아보고, 왜 ETF가 글로벌 투자에서 필수적인지 살펴본다.

1. ETF란 무엇인가?

ETF는 상장지수펀드로, 주식 시장에서 주식처럼 자유롭게 사고팔 수 있는 펀드다.
기본적으로 특정 지수(예: S&P500, 나스닥100)의 움직임을 추적하며, 주식, 채권, 원자재, 부동산 등 다양한 자산에 투자할 수 있다.

ETF의 특징
- 분산 투자: 한 종목이 아닌 여러 종목에 분산 투자해 리스크를 줄인다.
- 저비용: 전통적인 펀드에 비해 관리 수수료가 낮다.
- 유동성: 주식 시장에서 실시간으로 거래 가능하며, 소액 투자도 가능하다.

2. ETF의 주요 장점

1) 리스크 분산
   - ETF는 다양한 종목에 투자하기 때문에 특정 종목이나 산업에 과도하게 의존하지 않는다.

- 예: S&P500 ETF는 미국 대형주 500개에 투자해 미국 경제 전반의 흐름을 반영한다.

실전 사례

한 초보 투자자는 S&P500 ETF(SPY)에 투자해 시장 전체의 성과를 따라갔다.
단일 종목 리스크 없이 안정적인 수익을 얻으며 포트폴리오를 다각화할 수 있었다.

2) 소액으로 다양한 자산 투자

- ETF는 적은 금액으로도 광범위한 자산군에 투자할 수 있다.
- 예: 테슬라, 애플, 마이크로소프트 등 고가 주식을 모두 포함하는 나스닥100 ETF(QQQ)에 소액으로 투자 가능.

실전 팁

- ETF는 종목별로 최소 1주 단위로 거래 가능하며, 일부 증권사는 소수점 거래도 지원
- 소액으로 여러 자산에 접근할 수 있으므로 초보 투자자에게 적합하다.

3) 글로벌 투자 접근성

- ETF를 통해 미국, 유럽, 신흥국 시장에 간편하게 투자할 수 있다.
- 예: MSCI 신흥국 ETF(EEM)는 브라질, 중국, 인도 등 신흥 시장에 투자한다.

실전 사례

글로벌 투자를 원했던 한 투자자는 미국 ETF와 신흥국 ETF를 조합해 세계 경제 전반에 분산 투자하며 안정적인 수익을 실현했다.

4) 다양한 투자 테마 제공

- ESG, AI, 전기차, 클린 에너지 등 특정 테마에 집중 투자 가능.
- 예: ARK Innovation ETF(ARKK)는 혁신 기술과 성장주에 집중 투자한다.

실전 팁

- 장기적으로 유망한 산업(예: AI, 클린 에너지)에 투자하려면 테마형 ETF를 활용하라.
- 특정 산업에 관심이 있다면 ETF를 통해 소액으로도 쉽게 접근할 수 있다.

3. ETF와 일반 펀드의 차이점

ETF와 전통적인 펀드는 모두 분산 투자를 제공하지만, 몇 가지 중요한 차이점이 있다.

1) 실시간 거래 가능
- ETF는 주식 시장에서 실시간으로 사고팔 수 있지만, 펀드는 하루 단위로만 거래된다.
- 즉각적인 대응이 필요한 투자자에게 ETF가 유리하다.

2) 낮은 관리 비용
- ETF는 수동적으로 지수를 추적하므로, 전통적인 액티브 펀드보다 관리 비용이 낮다.
- 예: S&P500 ETF의 연간 관리 수수료는 평균 0.1% 미만으로 매우 저렴하다.

3) 투명성
- ETF는 보유 종목을 실시간으로 공개하지만, 펀드는 주기적으로만 정보를 공개한다.

실전 팁
- 유동성과 비용을 중시한다면 ETF를 선택하라.
- 장기적이고 복잡한 전략을 원한다면 펀드를 고려할 수도 있다.

4. ETF 투자 시 유의점

1) 지수 추적 성과 확인
- ETF는 추적 지수의 성과를 따라가도록 설계되었지만, 추적 오차가 발생할 수 있다.
- 추적 오차율이 낮은 ETF를 선택하라.

2) 테마형 ETF의 변동성
- 특정 산업에 집중 투자하는 테마형 ETF는 변동성이 크므로, 장기적인 관점으로 접근해야 한다.

3) 환율과 세금 고려

- 해외 ETF 투자 시 환율 변동과 양도소득세, 배당소득세를 고려해야 한다.
- 예: 미국 상장 ETF의 배당 소득세는 15%가 원천징수된다.

실전 팁

- 환율 변동성을 줄이기 위해 환헤지형 ETF를 선택하거나 분할 환전을 활용하라.
- 국내 상장 해외 ETF를 선택하면 세금 부담이 줄어든다.

5. 성공적인 ETF 투자 사례

1) S&P500 ETF(SPY)

- 한 투자자는 S&P500 ETF에 꾸준히 투자하며, 시장 평균 수익률인 연평균 8~10%를 달성했다.
- 경기 침체와 경제 회복기를 거치며 꾸준히 자산을 증식했다.

2) 테마형 ETF(ARKK)

- 혁신 기술에 관심이 많았던 투자자는 ARK Innovation ETF에 투자해 전기차, AI, 클린 에너지 기업의 성장을 기반으로 높은 수익을 거두었다.

3) 글로벌 ETF(EEM)

- 신흥국 성장에 주목한 투자자는 MSCI 신흥국 ETF에 투자해 브라질, 중국, 인도의 경제 성장 혜택을 누렸다.

6. ETF, 투자에 왜 필수적인가?

ETF는 초보자와 전문 투자자 모두에게 적합한 도구로, 간단하면서도 효율적으로 분산 투자를 실현할 수 있다.

- 안정성을 원하면 S&P500 ETF,
- 성장성을 원하면 나스닥100 ETF,
- 글로벌 시장에 접근하려면 신흥국 ETF를 선택하라.

이제 당신도 ETF의 매력을 활용해 투자 포트폴리오를 글로벌로 확장할 준비가 되었는가?

다음 장에서는 다양한 글로벌 ETF와 투자 전략을 통해 ETF의 활용도를 더욱 깊게 탐구해보자!

11.2 다양한 글로벌 ETF와 투자 전략

ETF, 전 세계를 내 투자 무대로

ETF는 특정 지수나 자산군을 추적하며, 글로벌 시장에 간편하게 접근할 수 있는 강력한 투자 도구다.
미국, 유럽, 신흥국 등 다양한 지역과 산업에 투자할 수 있으며, 테마형 ETF를 통해 특정 산업에 집중 투자도 가능하다.
이 장에서는 다양한 글로벌 ETF를 살펴보고, 이를 활용한 투자 전략을 소개한다.

1. 지역별 글로벌 ETF

1) 미국 시장 ETF
- 미국은 ETF의 본고장이며, 가장 다양하고 안정적인 ETF가 상장되어 있다.
- 대표적으로 S&P500 ETF(SPY), 나스닥100 ETF(QQQ), 다우존스 ETF(DIA)가 있다.

실전 팁
- S&P500 ETF: 미국 대형주의 성과를 추적하며, 장기 안정적인 투자에 적합하다.
- 나스닥100 ETF: 기술주 중심의 고성장을 목표로 한다.
- 다우존스 ETF: 배당주와 안정적인 기업에 투자하고 싶다면 고려하라.

2) 유럽 시장 ETF
- 유럽의 대형 기업에 투자하려면 유로 스톡스 50 ETF(EZU)를 활용할 수 있다.
- 유럽 경제와 유로존 기업들의 성과를 추적하며, 에너지와 금융주 비중이 높다.

실전 사례
한 투자자는 유럽 경제 회복기에 유로 스톡스 50 ETF를 매수해 안정적인 배당과 자본 이득을 누렸다.

3) 신흥국 ETF

- MSCI 신흥국 ETF(EEM)는 중국, 인도, 브라질 등 신흥 시장에 투자하며, 높은 성장 가능성을 제공한다.
- 중국 중심의 투자를 원한다면 iShares China Large-Cap ETF(FXI)가 적합하다.

실전 팁

- 신흥국 ETF는 장기적인 성장 가능성을 바라보며 투자해야 한다.
- 환율 변동성이 클 수 있으니 이를 고려하라.

4) 글로벌 종합 ETF

- 세계 경제 전반에 투자하려면 Vanguard Total World Stock ETF(VT)를 고려하라.
- 미국, 유럽, 아시아를 포함한 글로벌 종목에 투자하며, 분산 효과가 뛰어나다.

2. 산업 및 테마별 ETF

1) 기술주 중심 ETF

- 나스닥100 ETF(QQQ): 애플, 테슬라, 엔비디아 등 대형 기술주에 투자.
- ARK Innovation ETF(ARKK): 혁신적인 기술과 성장주에 중점.

실전 사례

한 투자자는 ARKK를 통해 전기차, AI, 클린 에너지 기업의 초기 성장 단계를 투자하며 큰 수익을 거두었다.

2) 헬스케어 및 바이오 ETF

- iShares U.S. Healthcare ETF(IYH): 미국 헬스케어 산업에 투자.
- SPDR S&P Biotech ETF(XBI): 바이오텍 중심의 성장 가능성 높은 종목 포함.

실전 팁

- 헬스케어는 경제 위기에도 방어적인 성격을 가지므로 안정적인 수익을 제공할 수 있다.
- 바이오 ETF는 변동성이 크므로 장기적 관점에서 투자하라.

3) 에너지 및 원자재 ETF

- Energy Select Sector SPDR ETF(XLE): 미국 에너지 대기업 중심 투자.
- SPDR Gold Shares(GLD): 금에 직접 투자하며, 인플레이션 헤지로 활용.

실전 사례

2022년 에너지 위기 당시, XLE ETF에 투자한 투자자는 국제 유가 상승과 함께 높은 수익률을 기록했다.

4) ESG 및 지속 가능성 ETF

- iShares MSCI ESG ETF(ESGU): 환경, 사회, 지배구조를 고려한 기업에 투자.
- First Trust Water ETF(FIW): 수자원 관리와 지속 가능한 물 관련 기업 투자.

실전 팁

- 장기적으로 ESG에 투자하면 환경과 사회적 책임을 지키면서도 안정적인 수익을 기대할 수 있다.

3. ETF 투자 전략

1) 분산 투자 포트폴리오 구성

- S&P500 ETF와 신흥국 ETF를 조합해 안정성과 성장성을 모두 잡는다.
- 원자재 ETF나 금 ETF를 포함해 인플레이션에 대비한다.

포트폴리오 예시

- S&P500 ETF(SPY) 50%: 안정적 성장.
- MSCI 신흥국 ETF(EEM) 30%: 고성장 지역 투자.
- SPDR Gold Shares(GLD) 20%: 리스크 헤지.

2) 테마형 ETF로 미래 트렌드 선점

- AI, 전기차, 클린 에너지 등 유망 산업에 집중 투자한다.

- 장기적으로 유망한 테마를 중심으로 분산 투자해 성장 가능성을 극대화한다.

실전 사례
한 투자자는 클린 에너지 ETF(ICLN)에 투자해 재생에너지 산업의 성장과 함께 장기적으로 높은 수익을 기록했다.

3) 환율 변동과 세금 고려
- 해외 상장 ETF는 배당 소득세와 환율 변동을 고려해야 한다.
- 국내 상장 해외 ETF를 선택하면 세금 부담이 줄어들 수 있다.

실전 팁
- 환율 헤지형 ETF를 활용하면 환율 변동성을 줄일 수 있다.
- 세금 신고가 간단한 국내 상장 ETF로 시작하는 것도 좋은 선택이다.

4. ETF 투자 성공 사례

1) S&P500 ETF로 꾸준한 수익 확보
- 한 투자자는 경제 위기에도 S&P500 ETF를 꾸준히 매수하며, 평균 연간 8~10%의 수익률을 기록했다.

2) 테마형 ETF로 성장 기회 포착
- ARK Innovation ETF에 투자한 투자자는 초기 단계 AI 기업과 클린 에너지 기업의 성장을 기반으로 높은 수익을 올렸다.

3) 신흥국 ETF로 글로벌 성장 수혜
- MSCI 신흥국 ETF를 통해 브라질, 인도, 중국 경제의 성장세를 포트폴리오에 반영하며 성공적인 글로벌 투자를 경험했다.

5. ETF로 글로벌 시장에 다가가기

ETF는 투자자들에게 다양한 글로벌 시장에 접근할 수 있는 간편한 도구를 제공한다.
- 미국 대형주부터 신흥국 시장, 특정 산업과 테마까지 모든 선택지가 열려 있다.
- 포트폴리오를 다각화하고, 장기적인 성장을 추구하며, 리스크를 분산하라.

이제 당신도 ETF를 활용해 글로벌 시장에서 안정적이고 성공적인 투자의 발판을 마련해 보자!
다음 장에서는 소액으로도 글로벌 ETF에 투자하는 방법을 살펴보며, 실전 전략을 구체화한다.

11.3 소액으로 글로벌 시장에 접근하기

적은 자본으로도 가능한 글로벌 투자

많은 투자자들이 글로벌 주식 시장에 관심을 가지지만, 고가의 주식이나 초기 자본 부족으로 망설이곤 한다.
그러나 소액으로도 충분히 글로벌 시장에 접근할 수 있는 방법이 있다.
이 장에서는 ETF와 소수점 거래를 활용한 소액 투자 전략을 소개하고, 이를 통해 글로벌 시장에 쉽게 진입할 수 있는 방법을 살펴본다.

1. 소수점 거래로 글로벌 주식에 접근하기

1) 소수점 거래란?
- 소수점 거래는 한 주를 기준으로 하지 않고, 주식의 일부를 구매할 수 있는 서비스
- 국내 증권사 대부분이 소수점 거래를 지원하며, 애플, 아마존 같은 고가 주식도 적은 금액으로 투자 가능하다.

실전 사례
한 투자자는 10만 원으로 애플의 0.3주, 테슬라의 0.2주를 매수하며 고가 주식의 성장 혜택을 누렸다.

실전 팁
- 소수점 거래는 장기 투자에 적합하며, 소액으로도 다양한 기업에 분산 투자할 수 있다.
- 국내 증권사 앱을 활용하면 간편하게 소수점 거래를 시작할 수 있다.

2. ETF를 활용한 소액 분산투자

1) ETF, 적은 돈으로도 글로벌 투자 가능
- ETF는 여러 종목으로 구성된 펀드이기 때문에 적은 금액으로도 분산 투자가 가능하다.

- 한 주만 매수해도 S&P500, 나스닥100, 글로벌 신흥 시장 등 다양한 자산군에 투자할 수 있다.

2) 소액 투자자의 추천 ETF
  - S&P500 ETF(SPY): 미국 대형주 500개를 포함한 안정적인 투자.
  - 나스닥100 ETF(QQQ): 기술주 중심의 성장 가능성 높은 투자.
  - iShares MSCI Emerging Markets ETF(EEM): 브라질, 중국, 인도 등 신흥국에 투자.

실전 사례
한 투자자는 월 20만 원씩 S&P500 ETF와 나스닥100 ETF에 꾸준히 투자하며, 적은 자본으로 장기적인 수익을 기대했다.

실전 팁
- 소액으로 투자할 경우, 배당을 재투자하거나 꾸준히 추가 매수하여 복리 효과를 극대화하라.
- 테마형 ETF(예: 클린 에너지, AI)에 소액으로 접근해 미래 산업의 성장성을 활용하라.

3. 자동 투자 서비스 활용

1) 국내 증권사의 자동 투자 서비스
  - 적은 금액으로 매월 일정 금액을 글로벌 주식이나 ETF에 투자하는 자동 서비스가 증가하고 있다.
  - 증권사가 제공하는 적립식 투자 옵션을 활용하면 수익률을 꾸준히 누릴 수 있다.

2) 로보어드바이저 활용
  - AI 기반의 로보어드바이저는 투자자의 목표와 성향에 맞춘 맞춤형 포트폴리오를 제공한다.
  - 적은 금액으로도 효과적으로 분산 투자가 가능하다.

실전 사례

한 투자자는 매달 10만 원씩 로보어드바이저를 통해 S&P500 ETF와 글로벌 신흥 시장 ETF에 자동 투자하며, 시간과 노력을 절약했다.

실전 팁
- 로보어드바이저 서비스는 초보 투자자들에게 적합하며, 위험 관리까지 포함된 전략을 제공한다.
- 시장 상황에 따라 자동으로 리밸런싱되는 포트폴리오를 선택하라.

4. 소액 투자 성공 사례

1) 소액으로 시작한 글로벌 ETF 투자
   - 월 30만 원으로 나스닥100 ETF에 꾸준히 투자한 한 투자자는 5년 후 기술주 상승의 혜택으로 50% 이상의 수익을 달성했다.

2) 테마형 ETF로 미래 산업 선점
   - AI와 클린 에너지에 관심이 많았던 투자자는 ARKK(ARK Innovation ETF)와 ICLN(클린 에너지 ETF)에 각각 10만 원씩 투자했다.
   - 초기에는 소액 투자였지만, 산업 성장과 함께 큰 성과를 올렸다.

5. 소액 투자, 큰 성과를 만드는 첫걸음

소액으로도 글로벌 시장에 접근할 수 있는 방법은 다양하다.
- 소수점 거래로 고가 주식에 투자하거나,
- ETF를 활용해 다양한 자산에 분산 투자하며,
- 자동 투자 서비스로 꾸준히 자산을 늘릴 수 있다.

투자의 핵심은 초기 자본의 크기가 아니라, 꾸준히 투자하고 자산을 키워가는 과정에 있다.
이제 당신도 소액으로 글로벌 시장에 첫발을 내디뎌, 장기적인 성장을 경험할 준비가 되었는가?
다음 장에서는 성공적인 종목 선정 방법을 통해 투자 전략을 한 단계 더 심화시켜보자!

제4부 성공 투자의 심화 과정

12. 성공적인 종목 선정 방법

12.1 산업 분석: 유망 산업을 발견하다

미래의 성장 동력을 찾아라

주식 투자의 성공은 종목 선택에서 시작된다. 그러나 개별 기업보다 산업 전체를 먼저 분석하는 것이 훨씬 효율적이다.
유망한 산업에 속한 기업들은 성장 가능성이 높기 때문에, 산업 분석은 투자 성공의 중요한 첫 단계다.
이 장에서는 유망 산업을 발견하는 방법과 이를 투자에 활용하는 전략을 알아본다.

1. 산업 분석의 중요성

1) 산업 트렌드가 기업의 성과를 좌우한다
   - 산업이 성장세에 있으면, 해당 산업에 속한 대부분의 기업이 그 혜택을 누린다.
   - 반대로, 산업이 쇠퇴하면 우량 기업도 어려움을 겪는다.

실전 사례
2000년대 초반, 인터넷 산업이 급성장하면서 많은 IT 기업들이 높은 성장률을 기록했다.
반면, 2010년대 이후 석탄 산업의 쇠퇴로 많은 기업들이 도산했다.

2) 장기적인 투자 전략에 필수적이다
   - 기업 분석보다 산업 분석은 장기적인 관점에서 더 안정적인 투자 전략을 세울 수 있게 한다.
   - 예: AI, 전기차, 재생에너지는 장기적으로 유망한 산업으로 평가받고 있다.

---

2. 유망 산업을 발견하는 방법

1) 거시 경제 흐름 파악

- 경제 성장률, 인구 구조, 정책 변화 등 거시적인 요인을 분석해 유망 산업을 식별
- 예: 인구 고령화 → 헬스케어 산업 성장, 탄소 중립 정책 → 재생에너지 산업 확대.

실전 팁

- 정부의 정책 방향을 주목하라. 예: 미국의 인플레이션 감축법(IRA) → 전기차, 배터리, 클린 에너지 투자 증가.

2) 기술 혁신의 영향을 주목하라

- 기술 발전은 새로운 산업을 창출하거나 기존 산업의 구조를 변화시킨다.
- 예: AI → 데이터 분석, 자율주행, 헬스케어의 혁신.

실전 사례

AI 기술 발전으로 인해 데이터 분석 기업 팔란티어 테크놀로지(Palantir)가 주목받았다. 같은 맥락에서 자율주행 기술은 테슬라와 엔비디아 같은 기업의 성장 동력이 되었다.

3) 시장 수요 변화

- 소비자 선호와 라이프스타일 변화는 특정 산업의 수요를 급격히 증가시킨다.
- 예: 팬데믹 이후 전자상거래와 헬스케어 수요 증가.

실전 팁

- 소비자 트렌드를 반영하는 보고서를 주기적으로 확인하라.
- 예: McKinsey, Gartner, Statista와 같은 리서치 기관의 자료 활용.

3. 주목할 만한 유망 산업

1) AI와 데이터 분석
- AI 기술이 다양한 산업에 적용되면서 데이터 분석 기업과 AI 서비스 기업들이 성장.
- 주요 종목: 팔란티어(Palantir), 엔비디아(NVIDIA).

2) 전기차와 2차전지
- 친환경 정책과 전기차 보급 확대로 배터리 산업이 급성장.
- 주요 종목: 테슬라(Tesla), CATL(중국), LG에너지솔루션(한국).

3) 헬스케어와 바이오테크
- 인구 고령화와 팬데믹 이후 헬스케어 산업의 중요성이 부각.
- 주요 종목: 존슨앤드존슨(Johnson & Johnson), 모더나(Moderna).

4) 재생에너지와 클린 테크
- 전 세계적인 탄소 중립 목표로 재생에너지와 클린 테크 산업이 성장.
- 주요 종목: 넥스트에라 에너지(NextEra Energy), ICLN(클린 에너지 ETF).

4. 산업 분석을 투자에 적용하기

1) ETF 활용
- 특정 산업에 투자하려면 해당 산업을 대표하는 ETF를 선택하라.
- 예: AI 산업 → ARK Innovation ETF(ARKK), 전기차 → Global X Lithium & Battery Tech ETF(LIT).

실전 사례

한 투자자는 ARKK와 LIT에 분산 투자해 AI와 전기차 산업의 성장 혜택을 동시에 누렸다.

2) 포트폴리오 다각화

- 유망 산업에 과도하게 집중하지 말고, 산업 간 균형을 유지하라.
- 예: IT 40%, 헬스케어 30%, 재생에너지 30%.

실전 팁

- 장기적인 산업 성장성을 고려하되, 단기적인 시장 변동성에도 대비하라.

3) 기업 간 비교 분석

- 같은 산업 내에서 경쟁 기업들의 강점과 약점을 비교해 가장 유망한 종목을 선택하라.
- 예: 테슬라 vs. 리비안, 팔란티어 vs. 스노우플레이크.

5. 성공적인 산업 분석 투자 사례

1) 전기차 산업의 투자 사례

- 한 투자자는 2015년에 테슬라 주식을 매수해 전기차 시장의 성장과 함께 수백 배의 수익을 올렸다.

2) AI와 클린 에너지 산업 투자 사례

- 2020년대 초, ARKK와 ICLN에 투자한 투자자는 AI와 재생에너지의 성장을 통해 높은 수익을 기록했다.

3) 헬스케어 산업 투자 사례

- 팬데믹 이후 헬스케어 ETF에 투자한 투자자는 백신과 바이오테크 기업의 성장으로 안정적인 수익을 확보했다.

6. 유망 산업 분석, 투자 성공의 첫걸음

산업 분석은 투자 성공의 가장 중요한 단계다.
유망 산업을 발견하고, 장기적인 성장 가능성을 고려하며, 꾸준히 시장 변화에 대응하라.
- 기술 혁신, 정책 변화, 소비자 트렌드를 반영한 투자 전략을 세워라.
- ETF와 개별 주식을 조합해 리스크를 관리하고 성장성을 극대화하라.

이제 당신도 유망 산업을 분석하고, 글로벌 시장에서 성공적인 투자를 시작할 준비가 되었는가?
다음 장에서는 기업 분석을 통해 투자 전략을 더욱 구체화해보자!

12.2 기업의 강점과 약점 분석하기

주식 투자, 기업 분석에서 시작된다

산업 분석이 유망한 투자 기회를 제공한다면, 기업 분석은 그 기회를 현실로 만드는 과정이다.
성공적인 투자자는 기업의 강점과 약점을 명확히 파악하고, 미래의 성장 가능성을 객관적으로 평가한다.
이 장에서는 기업 분석의 핵심 요소를 살펴보고, 이를 투자 전략에 적용하는 방법을 소개한다.

1. 기업 분석의 중요성

1) 경쟁 속에서의 위치 파악

- 같은 산업 내에서도 기업마다 경쟁력이 다르다.
- 경쟁 우위를 가진 기업은 지속적으로 시장 점유율을 확대하며 성과를 낸다.

실전 사례
전기차 산업에서 테슬라는 브랜드 인지도와 배터리 기술에서 강점을 보이며 시장의 리더로 자리 잡았다.
반면, 리비안은 신생 기업으로 시장 진입 초기 어려움을 겪었다.

2) 재무적 안정성 평가

- 기업의 재무 상태는 지속 가능한 성장을 위해 필수적이다.
- 부채비율이 낮고, 현금흐름이 안정적인 기업은 경제 위기에서도 생존 가능성이 높다.

실전 팁
- 기업의 재무제표(손익계산서, 재무상태표, 현금흐름표)를 통해 안정성을 검토하라.
- 부채비율이 낮고, 매출과 순이익이 꾸준히 증가하는 기업을 선택하라.

2. 기업의 강점 분석

1) 핵심 경쟁력

- 기업이 제공하는 제품 또는 서비스가 경쟁사보다 뛰어난 점을 확인하라.
- 예: 애플의 생태계 구축(iPhone, iOS, App Store), 엔비디아의 AI GPU 기술.

2) 시장 점유율과 브랜드 가치

- 시장 점유율이 높은 기업은 안정적인 수익 구조를 가지고 있다.
- 브랜드 가치가 높은 기업은 소비자 충성도를 기반으로 지속적인 매출 성장이 가능

실전 사례

애플은 높은 브랜드 충성도와 생태계 기반으로 안정적인 매출을 유지하며 글로벌 스마트폰 시장의 리더로 자리 잡았다.

3) 기술력과 혁신 능력

- 기술력이 뛰어난 기업은 산업의 판도를 바꾸며 성장 동력을 얻는다.
- 예: 테슬라의 자율주행 기술, 팔란티어의 데이터 분석 솔루션.

4) 재무적 강점

- 순이익률, 영업이익률이 높은 기업은 안정적인 경영이 가능하다.
- 현금 보유량이 많을수록 위기 상황에서도 유연하게 대응할 수 있다.

실전 팁

- 순이익률 10% 이상, 부채비율 50% 이하를 유지하는 기업을 우선 검토하라.

3. 기업의 약점 분석

1) 부채 과다

- 부채비율이 높은 기업은 금리 상승기나 경제 위기 상황에서 생존 가능성이 낮다.

- 예: 에너지 위기 시기에 부채 과다로 인해 파산한 일부 석유 기업들.

2) 경쟁력 부족
   - 경쟁사 대비 기술력이 낮거나, 시장 점유율이 하락하고 있는 기업은 장기적으로 어려움을 겪는다.
   - 예: 노키아는 스마트폰 시장에서 혁신 부족으로 시장 지배력을 상실했다.

3) 산업 의존도
   - 특정 산업에 과도하게 의존하는 기업은 해당 산업의 변화에 따라 큰 타격을 받을 수 있다.
   - 예: 석탄 산업에 집중했던 기업들은 신재생에너지로의 전환으로 위기를 맞았다.

4) 경영진 문제
   - 경영진의 비리, 무능력한 의사결정은 기업의 지속 가능성을 위협한다.
   - 예: 보잉은 경영진의 부실한 의사결정으로 안전 문제가 발생하며 신뢰를 잃었다.

4. 강점과 약점을 비교하는 방법

1) SWOT 분석
   - 기업의 강점(Strengths), 약점(Weaknesses), 기회(Opportunities), 위협(Threats)을 구조적으로 분석하라.
   - 예: AI 산업에서 팔란티어의 강점(데이터 분석 기술)과 약점(정부 의존 매출)을 비교.

2) 재무 지표 비교
   - 같은 산업 내 주요 경쟁사의 재무 지표를 비교해 우위를 평가하라.
   - 예: 엔비디아 vs AMD → 순이익률, 매출 성장률, 연구개발비 비중.

3) 시장 동향과 대응력 확인
   - 기업이 변화하는 시장에 얼마나 효과적으로 대응하고 있는지 평가하라.

- 예: 테슬라는 전기차 보급 확대에 적극적으로 대응하며 시장 선도.

5. 실전에서 강점과 약점을 활용하기

1) 강점이 뚜렷한 기업에 장기 투자

- 기술력, 브랜드 가치, 시장 점유율이 높은 기업은 장기적으로 안정적 수익을 제공한다.

실전 사례

애플과 마이크로소프트에 장기 투자한 투자자들은 꾸준한 배당과 주가 상승을 통해 높은 수익을 얻었다.

2) 약점이 개선 가능한 기업 발굴

- 약점을 보완하며 성장 가능성을 보이는 기업에 투자하라.
- 예: 초기에는 정부 의존 매출이 많았던 팔란티어가 민간 시장으로 확장하며 약점을 극복했다.

실전 팁

- 약점 개선의 신호를 포착하려면 경영진의 전략 발표나 시장 확장 계획을 주기적으로 확인하라.

3) 단기적 약점을 활용한 매수 기회

- 단기적인 시장 불안이나 약점이 과대평가된 기업은 저평가된 가격에 매수할 기회를 제공한다.

실전 사례

2020년 팬데믹 초기, 항공업계의 단기적 약세를 기회로 삼아 보잉 주식을 매수한 투자자들은 이후 시장 회복으로 큰 수익을 얻었다.

6. 강점과 약점 분석, 성공 투자의 핵심

기업 분석은 강점과 약점을 이해하는 데서 시작된다.

- 경쟁 우위를 가진 기업에 장기 투자하라.
- 약점이 개선될 가능성이 높은 기업을 발굴하라.
- 재무적 안정성과 기술력을 기반으로 성장성을 평가하라.

이제 당신도 강점과 약점을 분석해 성공적인 투자 결정을 내릴 준비가 되었는가?
다음 장에서는 트렌드를 읽고 선점하는 방법을 통해 투자 전략을 더욱 강화해보자!

12.3 트렌드를 읽고 선점하는 투자

주식 시장의 승자는 트렌드를 먼저 파악한 사람이다

트렌드(Trend)는 단순한 유행이 아니라 시장과 산업, 기술이 지속적으로 변화하는 방향이다.
미래를 이끌 주요 트렌드를 읽고 이를 투자 전략에 반영한다면, 높은 수익률을 기대할 수 있다.
이 장에서는 트렌드를 읽는 방법과 이를 활용한 선점 투자 전략을 소개한다.

1. 트렌드의 중요성

1) 미래의 기회를 선점한다
- 시장의 트렌드를 파악하면, 산업의 성장 초기 단계에서 투자 기회를 포착할 수 있다.
- 예: 전기차와 AI 기술은 초기 단계에서 트렌드를 읽은 투자자들에게 큰 보상을 안겨주었다.

2) 지속 가능한 성장을 기반으로 투자한다
- 일시적인 유행과 달리, 트렌드는 장기적으로 시장과 산업을 변화시킨다.
- 예: ESG(환경·사회·지배구조) 트렌드는 기업 경영과 투자 방식에 근본적인 변화를 가져왔다.

실전 사례
2010년대 초반, 테슬라의 전기차와 넥스트에라 에너지의 재생에너지 트렌드를 주목한 투자자들은 장기적인 성장을 통해 높은 수익을 기록했다.

2. 트렌드를 읽는 방법

1) 기술 발전과 혁신에 주목
- 기술의 진보는 새로운 산업과 시장을 창출한다.

- 예: AI 기술의 발전 → 데이터 분석, 자율주행, 헬스케어 혁신.

실전 팁

- 기술 관련 보고서와 연구 자료를 정기적으로 확인하라.
- 예: 가트너(Gartner)의 기술 하이프 사이클 보고서는 기술 트렌드를 이해하는 데 유용하다.

2) 정책과 규제 변화를 관찰

- 정부의 정책은 시장의 방향성을 결정짓는 주요 요인이다.
- 예: 탄소 중립 정책 → 재생에너지와 전기차 산업 성장.

실전 사례

미국의 인플레이션 감축법(IRA)은 전기차와 배터리 기업들에 대규모 투자 기회를 제공하며 관련 기업의 주가를 상승시켰다.

3) 소비자 행동과 선호 변화 분석

- 소비자들의 선호도 변화는 새로운 시장과 제품의 수요를 창출한다.
- 예: 팬데믹 이후 온라인 쇼핑과 디지털 결제 서비스의 급성장.

실전 팁

- 소비자 행동을 분석한 시장 조사 자료(McKinsey, Statista 등)를 참고하라.
- 소셜 미디어에서 빠르게 확산되는 트렌드를 모니터링하라.

4) 산업 간 융합과 새로운 비즈니스 모델 탐색

- 서로 다른 산업이 융합되면서 새로운 기회가 탄생한다.
- 예: IT와 헬스케어의 융합 → 원격 의료와 건강 관리 서비스 시장 확대.

3. 선점 투자 전략

1) 트렌드 초기 단계에서 진입

- 트렌드가 형성되는 초기 단계에서 투자하면, 낮은 가격으로 진입해 높은 성장률을 기대할 수 있다.
- 예: AI 기술 초기 단계에서 엔비디아와 팔란티어에 투자한 사례.

2) 관련 ETF를 활용한 분산 투자

- 특정 트렌드에 투자하려면 관련 ETF를 활용하라.
- 예: ARK Innovation ETF(ARKK) → AI, 전기차, 유전자 편집 등 혁신 기술에 투자.

실전 사례

한 투자자는 ICLN(클린 에너지 ETF)와 ARKK를 조합해 재생에너지와 혁신 기술 트렌드를 동시에 활용했다.

3) 소규모 종목 발굴

- 트렌드의 초기 단계에서는 대기업뿐 아니라 성장 가능성이 높은 소규모 기업도 주목하라.
- 예: 데이터 분석 스타트업 팔란티어와 자율주행 기업 루시드 모터스.

4) 테마형 투자로 집중력 강화

- 한 가지 트렌드에 집중 투자하며 수익률을 극대화한다.
- 예: 전기차 테마 → 테슬라, CATL, 리비안에 분산 투자.

4. 트렌드를 읽고 투자에 성공한 사례

1) 전기차와 자율주행

- 전기차 산업이 성장하기 시작한 2010년대 초반, 테슬라와 엔비디아에 투자한 사람들은 기술 발전과 시장 확대의 혜택을 누렸다.

2) AI와 데이터 분석

- AI 기술 초기 단계에서 엔비디아의 GPU 기술과 팔란티어의 데이터 분석 서비스를

주목한 투자자들은 큰 수익을 기록했다.

3) 재생에너지와 ESG 투자
   - 넥스트에라 에너지(NextEra Energy)와 ICLN에 투자한 사례는 재생에너지와 지속 가능성의 트렌드를 성공적으로 활용한 대표적 사례다.

5. 트렌드를 활용한 성공적인 투자 전략

1) 장기적 관점 유지
   - 트렌드는 단기적인 변동성이 아니라, 장기적인 성장 가능성을 기반으로 접근하라.
2) 분석과 리스크 관리 병행
   - 트렌드의 잠재력을 분석하면서도 과대평가된 기업이나 단기적 유행에 주의하라.
3) 지속적인 학습과 정보 업데이트
   - 시장과 기술의 변화는 빠르다. 최신 정보를 학습하고, 트렌드의 진행 상황을 모니터링하라.

실전 팁
- 뉴스, 기술 보고서, 기업 발표 자료를 통해 트렌드의 진행 상황을 주기적으로 점검하라.

6. 트렌드를 읽고 투자로 연결하는 지혜

트렌드를 읽는 능력은 시장의 흐름을 이해하고, 미래를 예측하며, 투자 결정을 내리는 데 핵심적이다.
미래의 성장 산업과 기술 혁신을 파악하고, 초기 단계에서 선점하는 전략으로 장기적인 성장을 추구하라.

이제 당신도 트렌드를 읽고, 이를 기반으로 성공적인 투자 결정을 내릴 준비가 되었는가?
다음 장에서는 매수와 매도 타이밍의 기술을 다루며, 실질적인 투자 스킬을 강화해보자!

13. 매수와 매도 타이밍의 기술

13.1 최적의 매수 타이밍 잡기

주식 투자에서 매수 타이밍의 중요성

성공적인 투자는 언제 주식을 매수하느냐에 따라 크게 좌우된다.
매수 타이밍을 잘 잡으면 높은 수익을 기대할 수 있지만, 잘못된 타이밍은 수익률을 갉아먹고 손실로 이어질 수 있다.
이 장에서는 최적의 매수 타이밍을 잡는 방법과 이를 실전에서 활용하는 전략을 알아본다.

1. 매수 타이밍의 기본 원칙

1) 저평가된 시점에서 매수하라
- 주식이 시장 가치보다 저평가되었을 때 매수하는 것이 가장 이상적이다.
- 이를 위해 기본적 분석과 기술적 분석을 활용해야 한다.

실전 팁
- PER, PBR 같은 기본적 지표를 분석해 저평가된 종목을 찾아라.
- 기술적 분석으로 지지선에 도달한 주식을 주목하라.

2) 시장 변동성을 활용하라
- 시장 조정이나 단기 하락은 매수 기회를 제공한다.
- 공포심이 극대화된 순간이 매수 타이밍일 수 있다.

실전 사례
2020년 팬데믹 초기, 시장이 급락했을 때 S&P500 ETF를 매수한 투자자는 이후 시장 회복과 함께 높은 수익을 기록했다.

3) 장기적 관점에서 매수하라

- 단기적인 주가 변동에 흔들리지 말고, 장기적인 성장 가능성을 기준으로 매수 결정을 내려라.
- 예: 성장 산업에 속한 기업에 투자.

2. 매수 타이밍을 잡는 방법

1) 기본적 분석 활용

- 기업의 재무 상태와 산업 전망을 기반으로 매수 시점을 판단하라.
- 예: 매출 성장률, 영업이익률, 부채비율 분석.

실전 팁

- PER이 낮고, PBR이 1 이하인 기업은 저평가 가능성이 높다.
- 실적 발표 시즌에 주목해 긍정적인 성과를 낸 기업을 매수하라.

2) 기술적 분석 활용

- 차트 분석으로 매수 시점을 파악하라.
- 예: 이동평균선, 지지선, 저항선, RSI(상대강도지수).

실전 사례

한 투자자는 RSI가 30 이하로 떨어진 주식을 매수해, 과매도 상태에서의 반등으로 수익을 거뒀다.

주요 기술적 신호

- 골든크로스: 단기 이동평균선이 장기 이동평균선을 상향 돌파할 때 매수 신호로 간주.
- 지지선 테스트: 주가가 주요 지지선에 도달할 때 반등 가능성을 고려해 매수.

3) 시장 상황 분석

- 금리, 환율, 경기 지표 등 거시 경제 변수를 분석해 매수 시점을 결정하라.

- 예: 금리가 하락하면 주식 시장에 유리한 환경이 조성된다.

실전 팁
- 연준(Fed)의 금리 인하 정책 발표 후 시장 진입을 고려하라.
- 소비자 신뢰 지수가 상승하는 시기에 소비재 관련 주식에 투자하라.

3. 매수 타이밍을 활용한 투자 전략

1) 분할 매수 전략
- 한 번에 모든 자금을 투자하지 말고, 분할 매수로 리스크를 줄여라.
- 예: 주가가 하락할 때마다 일정 금액을 추가 매수.

실전 사례
한 투자자는 전기차 ETF를 3개월 간격으로 분할 매수해 평균 매입가를 낮추고 안정적인 수익을 얻었다.

2) 가치주 투자 전략
- 저평가된 가치주를 매수해, 시장이 평가를 회복할 때 높은 수익을 기대하라.
- 예: PER이 낮고 배당수익률이 높은 기업.

실전 팁
- 가치주는 경제 위기 이후 회복기에 특히 유리하다.
- 배당이 안정적인 블루칩 기업을 주목하라.

3) 성장주 투자 전략
- 미래 성장 가능성이 높은 기업에 매수 초기 단계에서 투자하라.
- 예: AI, 전기차, 헬스케어 같은 고성장 산업.

실전 사례

팔란티어와 엔비디아 같은 성장주는 초기 투자자들에게 높은 수익률을 안겨주었다.

4. 매수 타이밍의 함정 피하기

1) 단기 시장 변동에 휘둘리지 말라

- 일시적인 악재나 공포심으로 인해 성급한 매도 결정을 내리지 마라.

실전 팁

- 단기 하락장은 매수 기회로 활용하라.
- 기본적 가치가 탄탄한 기업은 시장 회복과 함께 반등한다.

2) 완벽한 타이밍을 찾으려 하지 말라

- 모든 투자자가 최저점에서 매수하려 하지만, 현실적으로 이는 불가능하다.
- 대신, "충분히 저평가된" 시점을 찾는 데 집중하라.

3) 확증 편향에서 벗어나라

- 자신이 가진 정보에만 의존하지 말고, 시장 전반의 흐름과 데이터를 종합적으로 분석하라.

5. 매수 타이밍으로 성공한 투자 사례

1) 팬데믹 하락장에서의 기회 포착

- 2020년 초, S&P500 ETF를 매수한 투자자는 이후 시장 회복과 함께 약 70%의 수익을 달성했다.

2) AI 산업의 성장 초기에 진입

- 엔비디아 주식을 매수한 초기 투자자는 AI 기술 수요 증가와 함께 주가 급등을 경험했다.

3) 분할 매수로 리스크 관리

- 한 투자자는 금리 상승기 동안 나스닥100 ETF를 분할 매수하며 평균 매입가를 낮추고 장기적으로 안정적인 수익을 확보했다.

6. 매수 타이밍, 성공 투자의 첫걸음

매수 타이밍은 투자 성공의 핵심이다.

- 기본적, 기술적 분석을 활용해 최적의 매수 시점을 판단하라.
- 분할 매수로 리스크를 줄이고, 장기적인 관점에서 시장 변동을 활용하라.
- 무엇보다 완벽한 타이밍을 찾으려는 욕심 대신, 충분히 좋은 기회를 포착하는 데 집중하라.

다음 장에서는 매도 타이밍의 기술을 통해, 투자에서 이익을 실현하는 방법을 살펴보자!

13.2 손절과 수익 실현의 기준

주식 투자, 매도 타이밍이 수익을 결정한다

매수만큼 중요한 것이 바로 매도 타이밍이다.
주식 투자는 매도 시점에 따라 수익률이 극적으로 달라질 수 있다.
이 장에서는 손절매와 수익 실현의 기준을 세우는 방법을 알아보고, 이를 실전에서 적용하는 전략을 소개한다.

1. 손절의 필요성과 기준 설정

1) 손절은 생존의 기본
  - 손절은 투자 실패를 인정하는 것이 아니라, 더 큰 손실을 막기 위한 전략적 결정이다.
  - 시장에서 살아남기 위해서는 손실을 제한하는 명확한 기준이 필요하다.

실전 팁
- 감정에 흔들리지 말고, 사전에 설정한 손절 기준을 반드시 지켜라.

2) 손절 기준 설정 방법
  - 손절 기준은 투자 성향과 종목 특성에 따라 다르게 설정해야 한다.
  - 예: 변동성이 큰 성장주는 10~15%, 안정적인 가치주는 5~10% 손실 폭에서 손절 설정.

실전 사례
한 투자자는 기술주에 15% 손절선을 설정해, 팬데믹 초기의 급락장에서 더 큰 손실을 피할 수 있었다.

3) 기술적 분석을 활용한 손절 기준
  - 지지선이 무너지는 경우 손절 매도를 고려하라.

- 예: 200일 이동평균선 아래로 주가가 하락하면 손절 신호로 간주.

2. 수익 실현의 기준 설정

1) 감정에 휘둘리지 말고 기준을 세워라
   - 주식이 상승할 때 너무 일찍 매도하거나, 과도한 욕심으로 더 큰 하락을 맞지 않도록 수익 실현 기준을 설정하라.

실전 팁
- 목표 수익률을 사전에 설정해, 목표에 도달하면 감정에 흔들리지 말고 매도하라.
- 예: 20% 수익 실현 기준 설정.

2) 단계적 매도 전략
   - 목표 수익률에 도달하면 전체를 매도하지 말고, 일부를 매도하며 나머지는 더 높은 수익을 기대할 수 있다.

실전 사례
한 투자자는 20% 상승 시 50%를 매도하고, 나머지 50%는 장기 보유하며 추가 상승의 기회를 얻었다.

3) 목표 주가 설정
   - 기업의 펀더멘털과 시장 분석을 통해 목표 주가를 설정하라.
   - 목표 주가 도달 시 매도를 고려하되, 기업 실적이 지속적으로 개선된다면 목표 주가를 조정하라.

실전 팁
- 시장 상황과 기업의 성장성을 지속적으로 모니터링하며 목표 주가를 업데이트하라.

3. 손절과 수익 실현 기준 활용하기

1) 분할 매도와 손절
   - 리스크를 줄이기 위해 분할 매도와 손절 전략을 병행하라.
   - 예: 손절 기준에 도달하면 일부 매도 후 상황을 지켜보며 추가 매도를 결정.

2) 리스크 대비 수익률(Risk-Reward Ratio)
   - 투자 종목의 손실 가능성과 예상 수익률을 비교해 손절과 수익 실현 기준을 설정하라.
   - 예: 손실 10% 대비 수익 30% 목표 설정 → 비율 1:3.

3) 실시간 시장 상황 반영
   - 시장 상황과 종목의 펀더멘털 변화에 따라 손절과 수익 실현 기준을 조정하라.

실전 사례
한 투자자는 목표 수익률에 도달했지만, 기업 실적 발표 후 긍정적인 전망이 발표되자 매도를 보류하고 추가 수익을 올렸다.

4. 매도 타이밍의 함정 피하기

1) 조급함에서 벗어나라
   - 단기적인 주가 변동에 조급해 하지 말고, 설정한 기준을 신뢰하라.

실전 팁
- 주가가 단기 하락하더라도 기본적 가치가 변하지 않았다면 매도를 서두르지 마라.

2) 탐욕을 경계하라
   - 너무 높은 수익률을 기대하며 매도 타이밍을 놓치지 마라.
   - 예: 목표 수익률을 넘었지만 욕심을 부리다 다시 하락한 사례를 방지하라.

3) 손절 회피의 위험

- 손실을 인정하기 어려워 손절을 미루면 더 큰 손실로 이어질 수 있다.
- 예: 팬데믹 초기, 항공주에 과도한 희망을 품은 투자자들은 큰 손실을 기록했다.

5. 성공적인 손절과 수익 실현 사례

1) 철저한 손절 기준으로 생존

- 한 투자자는 10% 손절 기준을 지키며, 시장 급락장에서 큰 손실을 피했다.

2) 단계적 수익 실현으로 높은 수익 확보

- 목표 수익률 도달 시 일부 매도하고, 나머지를 보유한 투자자는 추가 상승으로 더 높은 수익을 기록했다.

3) 리스크 대비 수익률 전략으로 성공

- 수익 목표를 3배로 설정한 투자자는 안정적으로 손절과 수익 실현을 관리하며 포트폴리오를 성장시켰다.

6. 손절과 수익 실현, 투자 성공의 양 날개

매수만큼 매도는 투자의 핵심이다.

- 손절은 큰 손실을 막는 방어적 전략이며, 수익 실현은 목표를 이루는 공격적 전략이다.
- 명확한 기준을 세우고 이를 실천하면, 시장의 변동성 속에서도 안정적으로 자산을 키울 수 있다.

이제 당신도 손절과 수익 실현의 기준을 세워, 성공적인 투자 여정을 이어갈 준비가 되었는가?
다음 장에서는 심리적 함정에서 벗어나기 위한 투자 심리 관리 방법을 다룬다!

13.3 심리적 함정에서 벗어나기

투자는 심리와의 싸움이다

주식 투자는 숫자와 데이터뿐 아니라, 감정과 심리의 영향을 강하게 받는다.
시장의 변동성 속에서 투자자들이 흔히 빠지는 심리적 함정은 수익을 갉아먹거나 불필요한 손실을 초래한다.
이 장에서는 심리적 함정의 유형을 파악하고, 이를 극복하기 위한 전략을 소개한다.

1. 투자자가 빠지기 쉬운 심리적 함정

1) 공포와 탐욕의 사이클
   - 시장이 급락하면 공포심이 커져 손실을 고정하는 손절 매도를 하고,
     반대로 급등하면 탐욕에 휘말려 과도하게 매수하거나 고점에서 진입하는 실수를 한다.

실전 사례
2008년 금융위기 당시, 공포에 휩싸인 투자자들은 시장 저점에서 대량 손절을 했지만, 이후 시장이 회복하며 큰 수익 기회를 놓쳤다.

실전 팁
- 워런 버핏의 조언: "다른 사람들이 탐욕스러울 때 두려워하고, 두려워할 때 탐욕스러워라."
- 공포와 탐욕이 극대화된 상황에서는 감정 대신 데이터에 근거한 결정을 내려라.

2) 확증 편향
   - 자신의 의견을 뒷받침하는 정보만 받아들이고, 반대되는 정보를 무시하는 경향이다.
   - 이는 투자 판단을 왜곡시키고 리스크를 과소평가하게 만든다.

실전 사례

한 투자자는 자신이 선호하는 종목에 대한 긍정적인 뉴스만 확인하고, 부정적인 정보는 무시하다가 큰 손실을 보았다.

실전 팁

- 자신의 의견과 반대되는 정보를 적극적으로 찾아라.
- 다양한 소스에서 정보를 검토하고, 객관성을 유지하라.

3) 손실 회피 편향

- 손실을 인정하기 어려워 손실이 난 종목을 계속 보유하며 추가 하락을 경험하는 경우다.

실전 사례

2020년 팬데믹 초기, 항공업계에 투자한 일부 투자자들은 손실을 인정하지 않고 버티다가 더 큰 손실을 기록했다.

실전 팁

- 사전에 설정한 손절 기준을 반드시 지켜라.
- 손실이 발생하면 냉정하게 투자 결정을 다시 점검하라.

4) 군중 심리

- 시장의 흐름에 휩쓸려 비합리적인 매수와 매도를 하는 경향이다.
- 예: 단기적인 테마주나 밈 주식 투자로 과열된 시장에 진입.

실전 사례

2021년 밈 주식 열풍으로 AMC와 게임스톱에 투자한 일부 투자자들은 고점에서 진입 후 급락을 경험했다.

실전 팁

- 군중의 흐름에 동조하지 말고, 자신의 투자 원칙을 지켜라.

- 테마가 과열된 종목은 시장이 진정된 후에 검토하라.

2. 심리적 함정을 극복하는 방법

1) 투자 계획 수립

  - 감정에 흔들리지 않도록 명확한 투자 목표와 전략을 세워라.
  - 예: 매수, 매도 기준과 목표 수익률을 사전에 설정.

실전 팁

- 투자 일기를 작성해, 투자 결정을 기록하고 성찰하라.
- 자신의 투자 실수를 복기하며 개선점을 찾아라.

2) 분산 투자로 리스크 완화

  - 단일 종목에 집중하지 말고, 포트폴리오를 다각화해 심리적 부담을 줄여라.
  - 예: S&P500 ETF와 개별 주식을 조합한 포트폴리오 구성.

3) 시장 소음을 차단하라

  - 지나치게 많은 정보를 접하면 심리적 혼란이 가중된다.
  - 예: 단기적 뉴스보다 장기적인 펀더멘털에 집중.

실전 사례

한 투자자는 시장 뉴스에 과도하게 반응하는 습관을 고치고, 1년에 한 번 포트폴리오를 점검하며 안정적인 수익을 올렸다.

4) 장기적 관점을 유지하라

  - 단기적인 시장 변동성에 흔들리지 않고, 장기적인 성장 가능성에 초점을 맞춰라.
  - 예: 기술주와 ESG 관련 종목에 꾸준히 투자한 사례.

3. 심리적 안정감을 위한 팁

1) 매일 시장을 보지 말라
   - 주가 변동을 매일 확인하면 스트레스가 커지고 비합리적인 결정을 내릴 가능성이 높아진다.
   - 정기적으로만 포트폴리오를 점검하라.

2) 냉정한 투자 환경 조성
   - 감정적으로 불안한 상태에서 투자 결정을 내리지 마라.
   - 예: 시장이 급락하거나 뉴스가 과열될 때는 잠시 거리를 두고, 냉정한 판단을 하라.

3) 실패를 학습의 기회로 삼아라
   - 투자 실패는 귀중한 경험이다.
   - 실패를 분석해 개선점을 찾고, 다음 투자에 반영하라.

실전 사례
한 투자자는 손실이 난 투자 경험을 바탕으로 리스크 관리 기준을 강화해, 이후 꾸준한 수익을 달성했다.

4. 성공적인 심리 관리 사례

1) 공포를 기회로 삼은 투자자
   - 팬데믹 초기, 공포심이 극대화된 시점에서 다우존스 ETF를 매수한 투자자는 이후 시장 회복으로 큰 수익을 올렸다.

2) 분산 투자로 심리적 안정을 유지한 사례
   - 기술주, 헬스케어 ETF, 안정적인 배당주로 구성된 포트폴리오를 보유한 투자자는 변동성 속에서도 안정적인 수익을 유지했다.

3) 장기 투자로 성공한 사례

- 단기적 시장 변동을 무시하고, 10년 이상 S&P500 ETF를 보유한 투자자는 복리의 마법으로 자산을 증식했다.

5. 심리적 함정 극복, 성공 투자의 필수 조건

투자에서 심리적 함정을 극복하는 것은 단순히 수익률을 높이는 것을 넘어, 투자자로서의 생존과 성장을 보장한다.

- 자신의 감정을 인지하고, 이를 통제하는 방법을 익혀라.
- 장기적인 관점과 명확한 투자 계획으로 시장의 변동성에 흔들리지 마라.

이제 당신도 심리적 함정을 극복하고, 성공적인 투자 여정을 시작할 준비가 되었는가? 다음 장에서는 ESG 투자와 테마주 공략으로 미래 지향적 투자 전략을 구체화해보자!

14. 심리전에서 이기는 법

14.1 투자자 심리의 중요성

투자의 성패는 심리에 달려 있다

투자에서 가장 큰 적은 시장이 아니라 투자자 자신의 심리일 수 있다.
많은 투자자들이 데이터를 분석하고 전략을 세우지만, 막상 투자 결정을 내리는 순간 감정에 휘둘려 실패하는 경우가 많다.
이 장에서는 투자자 심리가 투자 성과에 미치는 영향을 살펴보고, 이를 효과적으로 관리하는 방법을 알아본다.

1. 투자 심리와 시장의 상호작용

1) 시장과 투자자의 심리적 연결
   - 주식 시장은 단순히 경제적 데이터에 따라 움직이는 것이 아니라, 투자자들의 심리가 반영되어 변화한다.
   - 공포와 탐욕이 시장의 상승과 하락을 유발하는 주요 요인이다.

실전 사례
2008년 금융위기 당시, 공포에 휩싸인 투자자들은 대량으로 주식을 매도했지만, 이후 시장이 회복되며 큰 상승을 기록했다.
이와 반대로, 2021년 밈 주식 열풍에서 탐욕이 과도하게 작용해 고점에서 투자한 사람들이 큰 손실을 보았다.

2) 심리적 편향과 투자 행동
   - 심리적 편향은 투자 결정을 왜곡시켜 손실을 초래한다.
   - 예: 확증 편향, 손실 회피 편향, 군중 심리 등이 투자 실패의 주요 원인이다.

2. 주요 투자 심리 편향

1) 공포와 탐욕의 이중성

- 공포: 시장이 하락할 때 손실을 막기 위해 지나치게 빠른 매도 결정을 내리는 경우.
- 탐욕: 주가가 급등할 때 더 큰 수익을 기대하며 과도한 매수를 하는 경우.

워런 버핏의 조언
"공포에 사라지고, 탐욕에 팔아라."
시장이 극단적으로 움직일 때 감정을 억제하고 데이터에 근거한 결정을 내려야 한다.

2) 확증 편향

- 자신의 의견에 부합하는 정보만 받아들이고, 반대되는 정보를 무시하는 경향.
- 예: 특정 종목에 긍정적인 뉴스만 보고, 부정적인 뉴스는 간과.

3) 손실 회피 편향

- 손실을 피하고자 하는 심리가 강해 손절을 미루거나 잘못된 종목을 계속 보유.

실전 사례
한 투자자는 손실을 인정하지 않고 보유한 항공주로 인해 큰 손실을 기록했다.
반면, 손절 기준을 엄격히 지킨 투자자는 더 큰 손실을 피할 수 있었다.

4) 군중 심리와 과열 투자

- 주변 투자자들의 행동에 휘둘려 비합리적인 결정을 내리는 경우.
- 예: 밈 주식, 테마주 열풍에 동조해 고점에서 매수.

3. 투자 심리 관리의 중요성

1) 냉정한 판단 능력 배양

- 감정에 휘둘리지 않고, 데이터와 전략에 근거한 결정을 내려야 한다.

- 예: 주식의 본질적 가치를 분석하고, 시장 변동성에 휘말리지 않기.

2) 장기적 관점 유지
- 단기적인 주가 변동에 집중하지 말고, 장기적인 성장 가능성에 초점을 맞춰라.
- 예: 기술주, ESG 주식 등 장기 성장 산업에 투자.

3) 분산 투자로 심리적 부담 완화
- 단일 종목에 집중하지 않고, ETF와 개별 주식을 조합해 리스크를 분산.

실전 사례
한 투자자는 S&P500 ETF와 헬스케어 ETF를 결합한 포트폴리오를 통해 시장 변동 속에서도 안정적인 수익을 유지했다.

4. 심리적 함정을 피하는 방법

1) 투자 계획 수립과 실천
- 매수, 매도 기준과 목표 수익률을 사전에 설정하고 이를 지키는 훈련을 하라.

2) 시장 소음을 차단하라
- 단기적 뉴스와 소셜 미디어의 과도한 정보에 휘둘리지 않도록 주의하라.
- 대신, 기업 실적과 장기적인 경제 지표를 기반으로 투자 결정을 내리라.

3) 실패를 학습 기회로 삼아라
- 투자 실패는 경험이자 교훈이다. 실패 사례를 분석하고, 다음 투자에 반영하라.

5. 성공적인 심리 관리 사례

1) 공포를 기회로 삼은 투자자

- 2020년 팬데믹 초기에 다우존스 ETF를 매수한 투자자는 이후 시장 회복으로 높은 수익을 올렸다.

2) 장기 투자를 통한 심리적 안정
   - 매일 주가를 확인하지 않고, 10년 동안 S&P500 ETF를 보유한 투자자는 복리의 힘을 통해 자산을 증식했다.

3) 시장 소음에서 벗어난 투자자
   - 단기적인 뉴스 대신 기업의 본질적 가치를 분석한 투자자는 장기적으로 안정적 수익을 거두었다.

6. 심리적 안정, 성공 투자의 기본

심리 관리는 성공적인 투자의 필수 조건이다.
- 공포와 탐욕, 확증 편향 같은 심리적 함정을 인지하고 극복하라.
- 명확한 투자 계획과 냉정한 판단으로 시장의 변동성 속에서도 흔들리지 마라.
- 무엇보다 실패를 두려워하지 말고, 이를 학습과 성장의 기회로 삼아라.

이제 당신도 투자 심리를 이해하고, 이를 극복하며 성공적인 투자자로 나아갈 준비가 되었는가?
다음 장에서는 공포와 탐욕을 활용한 전략으로 심리적 불안을 투자 기회로 전환하는 방법을 알아보자!

14.2 공포와 탐욕을 활용한 전략

시장의 감정에 맞서 기회를 잡아라

주식 시장은 공포와 탐욕이라는 두 가지 감정에 의해 움직인다.
공포는 시장의 하락을, 탐욕은 과열된 상승을 불러오며, 이 두 감정은 투자자들에게 큰 영향을 미친다.
그러나 현명한 투자자는 시장의 감정에 흔들리지 않고, 오히려 이를 기회로 삼아야 한다.
이 장에서는 공포와 탐욕을 투자에 활용하는 전략을 소개한다.

1. 공포와 탐욕의 본질

1) 공포: 시장의 과도한 비관
- 시장의 급락이나 경제적 불확실성 속에서 공포심은 투자자들에게 손절 매도를 유발한다.
- 이는 종종 자산이 본질 가치 이하로 저평가되는 기회를 제공한다.

실전 사례
2008년 금융위기 당시, 공포에 휩싸인 투자자들이 주식을 매도하는 동안, 워런 버핏은 "미국 주식을 사라"는 조언을 남기며 저가 매수를 실행했다.
결과적으로 그는 시장 회복 후 큰 수익을 거뒀다.

2) 탐욕: 시장의 과열과 비합리적 기대
- 주가가 급등할 때 투자자들은 더 큰 수익을 기대하며 과도한 매수를 한다.
- 이는 자산이 과대평가되고, 버블이 형성되는 결과를 낳는다.

실전 사례
2021년 밈 주식 열풍에서 게임스톱과 AMC 같은 주식이 탐욕에 의해 과대평가되었고,

고점에서 투자한 사람들은 큰 손실을 봤다.

2. 공포를 활용한 투자 전략

1) 공포가 극대화된 시점에 매수하라
   - 시장의 전반적인 공포가 최고조에 달했을 때가 자산을 저가에 매수할 기회다.

실전 팁
- 시장 변동성 지수(VIX)가 급등하는 시점은 공포가 극대화된 신호일 수 있다.
- 기본적 가치가 탄탄한 기업에 집중해 저평가된 주식을 발굴하라.

2) 경제 위기를 기회로 활용하라
   - 경제 위기 동안 우량 기업이나 주요 ETF를 매수하라.
   - 예: 팬데믹 초기, 다우존스 ETF, S&P500 ETF 매수는 장기적으로 높은 수익을 제공했다.

3) 분할 매수 전략
   - 공포가 지배하는 시장에서 한 번에 모든 자금을 투자하지 말고, 분할 매수를 통해 평균 매입가를 낮춰라.

실전 사례
2020년 팬데믹 당시, 한 투자자는 3개월에 걸쳐 S&P500 ETF를 분할 매수하며, 이후 회복 시기에 큰 수익을 올렸다.

3. 탐욕을 활용한 투자 전략

1) 탐욕이 극대화된 시점에 매도하라
   - 시장이 과열되고, 투자자들이 비합리적인 기대에 빠질 때는 매도 타이밍을 잡아야 한다.

실전 팁

- 주가가 단기적으로 급등하거나, PER(주가수익비율)이 지나치게 높은 종목은 탐욕의 신호일 수 있다.
- 테마주나 밈 주식처럼 과도한 상승을 보이는 종목은 신중히 접근하라.

2) 목표 수익률 설정

- 탐욕에 휘말리지 않도록 사전에 목표 수익률을 설정하고, 도달 시 매도를 실행하라.
- 예: 20% 상승 시 일부 매도, 30% 도달 시 전체 매도.

3) ETF를 활용한 리스크 관리

- 탐욕이 지배하는 시장에서도 안정성을 유지하려면 ETF를 활용하라.
- 예: 기술주 과열 시 QQQ(나스닥100 ETF)를 매도해 안정적인 수익을 확보.

실전 사례

2021년 밈 주식 열풍 속에서 한 투자자는 밈 주식 대신 QQQ에 투자해 안정적으로 기술주 성장을 누렸다.

4. 공포와 탐욕을 활용하는 심리 관리 전략

1) 시장 감정에서 거리 두기

- 시장의 공포와 탐욕이 극대화될 때, 자신의 투자 원칙과 계획을 다시 확인하라.

2) 감정을 객관화하라

- 공포와 탐욕은 강렬한 감정이지만, 이를 객관적으로 분석해 기회로 활용하라.
- 예: 공포의 순간에 매수하기 위해 사전에 준비된 매수 리스트를 작성하라.

3) 장기적인 관점 유지

- 단기적인 시장 감정에 휘둘리지 않고, 장기적인 성장 가능성에 집중하라.

5. 공포와 탐욕 활용 성공 사례

1) 공포를 기회로 삼은 투자자
   - 2008년 금융위기 당시, 애플과 구글 주식을 매수한 투자자는 이후 IT 산업의 성장과 함께 막대한 수익을 거뒀다.

2) 탐욕이 극대화된 시장에서 현명한 매도
   - 2021년 밈 주식 열풍 속에서 한 투자자는 게임스톱이 급등하던 시점에 매도해 탐욕을 성공적으로 활용했다.

3) 공포와 탐욕을 모두 활용한 사례
   - 한 투자자는 팬데믹 초기의 공포 속에서 저가 매수한 후, 시장 회복과 탐욕이 극대화된 시점에 매도하며 높은 수익을 실현했다.

6. 공포와 탐욕, 투자 기회의 두 얼굴

공포와 탐욕은 투자자 심리에 깊은 영향을 미치지만, 이를 제대로 이해하고 활용하면 기회로 바꿀 수 있다.
- 공포는 저평가된 자산을 매수할 기회를 제공하며,
- 탐욕은 과열된 시장에서 수익을 실현할 타이밍을 알려준다.

이제 당신도 공포와 탐욕을 효과적으로 활용해, 성공적인 투자 기회를 잡을 준비가 되었는가?
다음 장에서는 실패 사례에서 배우는 교훈을 통해 투자 전략을 더욱 견고하게 다져보자!

14.3 실패 사례에서 배우는 교훈

실패에서 진짜 투자가 시작된다

2000년대 초반, 닷컴 버블이 한창일 때, 수많은 사람들이 인터넷 기업 주식을 사들이기 시작했다.
“이 회사는 인터넷 세상을 지배할 거야!”라며 장밋빛 미래를 꿈꿨다.
그러나 2000년대 초반 버블이 붕괴되면서 수많은 투자자들이 큰 손실을 입었다.
사람들은 절망에 빠졌지만, 몇몇 투자자들은 실패 속에서 중요한 교훈을 얻었다.
이들은 "기술 혁신은 맞지만, 적정 가치를 넘어선 투자에는 항상 위험이 따른다"는 사실을 깨닫고 우량 기술주로 눈을 돌렸다.
그리고 애플, 구글 같은 회사들을 선택하며, IT 붐의 두 번째 물결에서 놀라운 성공을 거뒀다.

실패의 첫 번째 교훈: 공포와 탐욕에서 벗어나기

2020년 초, 팬데믹이 시작되자 주식 시장은 큰 폭으로 하락했다.
사람들은 패닉에 빠졌고, 앞다퉈 주식을 매도하기 시작했다.
그러나 일부 투자자들은 워런 버핏의 말을 떠올렸다.
“다른 사람들이 두려워할 때 탐욕스럽고, 탐욕스러울 때 두려워하라.”

공포심에 매도하는 대신, 이 투자자들은 저가 매수의 기회로 삼았다.
특히 다우존스와 S&P500 ETF를 매수해 시장이 회복될 때 큰 수익을 얻었다.
공포 속에서 판단을 흐리는 대신, 차분히 데이터를 분석하고 장기적인 관점을 유지한 것이 성공의 열쇠였다.

반대로, 2021년 밈 주식 열풍에서는 탐욕이 얼마나 위험한지를 보여주는 사례가 나왔다.
게임스톱과 AMC 같은 종목들이 단기간에 수백 퍼센트 급등했을 때, 고점에서 매수한 투자자들은 큰 손실을 겪었다.

탐욕에 휩쓸린 사람들은 기업의 본질적 가치를 고려하지 않고, 단지 “더 오를 것”이라는 막연한 기대에 투자했다.
결국, 탐욕은 투자자의 가장 큰 적임을 보여준 사례였다.

실패의 두 번째 교훈: 손절은 실패가 아니다

손실을 인정하지 못하고 끌려가는 투자는 투자자에게 큰 상처를 남긴다.
팬데믹 초기, 한 투자자는 항공사 주식에 대거 투자했다.
“팬데믹은 곧 끝날 거야. 항공사들은 다시 날아오를 거야!”라며 희망을 품었지만, 상황은 그의 예상과 달랐다.
항공산업은 구조조정과 자금 부족으로 인해 빠르게 악화되었다.
그러나 그는 손실을 인정하지 않고 계속 보유하며 더 큰 손실을 맞이했다.

반면, 또 다른 투자자는 명확한 손절 기준을 세우고 팬데믹 초기 손실이 15%를 넘었을 때 손절을 실행했다.
손절 후, 그는 안정적인 기술주와 ETF로 포트폴리오를 재구성했고, 시장 회복과 함께 손실을 만회하며 수익까지 올릴 수 있었다.
이 사례는 손절은 실패가 아니라, 더 큰 손실을 막기 위한 전략임을 보여준다.

실패의 세 번째 교훈: 군중을 따라가지 말라

밈 주식 열풍은 군중 심리가 얼마나 위험한지를 적나라하게 보여줬다.
한 투자자는 소셜 미디어를 보고 게임스톱 주식에 뛰어들었다.
“모두가 게임스톱을 사고 있어! 나도 사야 해!”
그는 주가가 정점을 찍었을 때 매수했고, 이후 급락하는 주가를 바라보며 손실을 감당해야 했다.

반면, 또 다른 투자자는 밈 주식의 과열을 보며 과대평가된 종목 대신 QQQ(나스닥100

ETF)에 투자했다.
기술주의 장기적인 성장성을 믿고 군중 심리에 휘둘리지 않은 것이다.
결과적으로 그는 안정적인 수익을 기록하며, "군중은 거의 항상 잘못된 방향으로 간다"는 교훈을 재확인했다.

실패를 기회로 만드는 법

실패는 투자에서 피할 수 없는 과정이다.
중요한 것은 실패를 어떻게 받아들이고, 그것을 통해 무엇을 배우는가에 달려 있다.
닷컴 버블, 팬데믹, 밈 주식 열풍 같은 사례들은 우리가 명확한 투자 원칙을 세우고, 시장에 흔들리지 않는 태도를 가지도록 가르쳐 준다.

실패를 극복하기 위해 다음과 같은 실천이 필요하다.
- 투자 일기를 작성해 매수와 매도의 이유를 기록하고 분석하라.
- 사전에 손절 기준과 목표 수익률을 설정하라.
- 감정적 결정을 피하기 위해 항상 데이터를 기반으로 판단하라.

실패는 성장의 디딤돌

실패는 아프지만, 그것이 곧 끝을 의미하지는 않는다.
오히려 실패는 투자자로서 성장할 수 있는 가장 값진 기회다.
시장은 항상 변동하고, 투자자는 끊임없이 배우고 적응해야 한다.
투자의 세계에서 성공한 사람들은 실패를 두려워하지 않았고, 실패를 통해 배우며 앞으로 나아갔다.

당신도 실패를 기회로 삼아, 더 나은 투자자로 거듭날 준비가 되었는가?
다음 장에서는 성공적인 투자 사례를 통해 미래 지향적인 전략을 배워보자!

제5부 미래 지향적 투자

15. ESG와 테마 투자

15.1 ESG 투자: 지속 가능성을 고려하다

투자와 지속 가능성의 만남

주식 투자는 더 이상 단순히 수익을 얻기 위한 도구로만 여겨지지 않는다.
지구 환경, 사회적 책임, 그리고 기업 지배구조까지 고려하는 ESG(환경·사회·지배구조) 투자가 글로벌 금융 시장에서 중요한 화두로 떠올랐다.
이제 투자자들은 "돈을 벌면서 세상을 더 나은 방향으로 변화시킬 수 있다"는 믿음을 실천하고 있다.
이 장에서는 ESG 투자란 무엇인지, 왜 중요한지, 그리고 이를 실천하기 위한 전략을 살펴본다.

1. ESG 투자의 정의와 중요성

1) ESG란 무엇인가?
- 환경(Environment): 기업이 기후 변화, 탄소 배출, 자원 관리 등 환경적 문제에 어떻게 대응하는가.
- 사회(Social): 기업이 사회적 책임, 노동권, 다양성 등을 얼마나 잘 준수하는가.
- 지배구조(Governance): 경영 투명성, 주주 권리 보호, 윤리적 경영을 얼마나 잘 실천하는가.

실전 사례
- 넥스트에라 에너지(NextEra Energy): 재생에너지 프로젝트를 통해 환경적 가치를 실현하면서 안정적인 수익을 창출.
- 파타고니아(Patagonia): 환경 친화적인 생산 공정을 도입해 소비자들로부터 높은 신뢰

를 받음.

2) 왜 ESG가 중요한가?
- ESG를 잘 실천하는 기업은 장기적으로 더 나은 성과를 낸다는 연구 결과가 있다.
- 소비자와 투자자들이 지속 가능성을 중시하며, ESG 기준은 기업의 필수 요소가 됨

실전 팁
- ESG 점수를 평가하는 글로벌 기관(MSCI, S&P Global)의 자료를 활용하라.
- ESG 기준이 높은 기업은 리스크 관리 능력이 뛰어나며, 경제적 위기에서도 더 잘 생존한다.

2. ESG 투자, 실전에서 어떻게 접근할까?

1) ESG ETF 활용
- ESG ETF는 지속 가능성을 기반으로 설계된 포트폴리오를 제공한다.
- 예: iShares MSCI ESG ETF(ESGU), SPDR S&P 500 ESG ETF(EFIV).

실전 사례
한 투자자는 ESGU ETF를 통해 다양한 ESG 친화적 기업에 투자하며 안정적인 장기 수익을 거뒀다.
ETF는 소액으로도 ESG에 투자할 수 있는 효과적인 방법이다.

2) 산업별 ESG 투자 전략
- ESG 기준을 충족하는 산업에 초점을 맞추라.
- 예: 재생에너지(넥스트에라 에너지), 전기차(테슬라, 리비안), 물 관리 기업(First Trust Water ETF).

실전 팁
- 특정 산업의 ESG 리더 기업을 찾아라.

- 예: 재생에너지 산업에서 최고의 기술과 성과를 내는 기업을 선택.

3) 직접 종목 분석

- ESG 투자에서 종목 선정은 기업의 환경적, 사회적, 지배구조적 성과를 깊이 이해하는 것이 중요하다.
- 기업의 지속 가능성 보고서를 참고하라.

실전 사례

엔비디아(NVIDIA)는 AI 기술을 활용해 에너지 효율성을 극대화하고, 지속 가능성을 강조하는 ESG 리더 기업으로 주목받고 있다.

3. ESG 투자의 장점과 주의할 점

1) 장점

- 장기적 안정성: ESG 우수 기업은 경제적, 사회적 변화에 더 잘 적응한다.
- 긍정적 이미지: 소비자와 투자자들로부터 신뢰를 얻을 수 있다.
- 리스크 관리: 환경 문제나 사회적 비판으로 인한 기업 리스크를 줄인다.

실전 사례

ESG 점수가 높은 유니레버(Unilever)는 소비자의 신뢰와 브랜드 가치를 바탕으로 안정적인 성과를 이어가고 있다.

2) 주의할 점

- 그린워싱(Greenwashing): 기업이 실질적인 환경 개선 없이 ESG 기준을 충족한다고 과장하는 경우.
- 데이터 부족: ESG 성과를 평가할 수 있는 객관적 데이터가 부족한 경우도 있다.

실전 팁

- ESG 점수를 확인하되, 기업의 실제 성과와 활동을 철저히 검토하라.

- 그린워싱을 방지하기 위해 독립적인 ESG 평가 기관의 보고서를 활용하라.

4. ESG 투자 성공 사례

1) 재생에너지 투자

- 넥스트에라 에너지: 재생에너지 프로젝트를 통해 지속 가능성과 수익성을 모두 실현한 대표적 사례.

2) 전기차와 클린 에너지

- 테슬라: ESG에 대한 집중으로 전기차 시장을 선도하며 높은 주가 상승을 기록.
- CATL(중국): 배터리 기술과 친환경 생산 공정을 통해 ESG 리더로 자리 잡음.

3) 물 관리와 환경 기술

- First Trust Water ETF(FIW): 물 자원 관리 기업들을 포트폴리오로 구성, ESG와 장기적 수익 모두를 잡았다.

5. ESG, 투자의 미래를 열다

ESG 투자는 단순히 수익을 추구하는 것이 아니라, 미래 세대와 환경을 고려하는 지속 가능한 투자 방식이다.
환경과 사회, 경영 투명성을 강조하는 기업은 장기적으로 더 큰 가치를 제공하며,
투자자들은 이 과정에서 경제적 이익과 함께 사회적 변화를 이끌 수 있다.

이제 당신도 ESG 투자로 미래를 위한 경제적 자유와 지속 가능성을 동시에 추구할 준비가 되었는가?
다음 장에서는 AI, 전기차, 2차전지 같은 테마주를 활용해 미래 성장 산업을 공략하는 방법을 알아보자!

15.2 AI, 전기차, 2차전지 등 테마주 공략

미래를 이끄는 성장 산업, 테마주에 투자하라

주식 시장에서는 항상 특정 테마나 산업이 주목받는다.
특히, 인공지능(AI), 전기차(EV), 2차전지 같은 첨단 기술 산업은 미래를 이끌 성장 동력으로 평가받으며 투자자들의 관심을 끌고 있다.
테마주는 높은 성장 가능성을 제공하지만, 그만큼 변동성도 크다.
이 장에서는 AI, 전기차, 2차전지와 같은 유망 테마주의 특징과 이를 공략하는 전략을 살펴본다.

1. 테마주란 무엇인가?

테마주는 특정 산업이나 기술, 사회적 변화에 맞춰 형성된 주식군을 의미한다.
- AI: 인공지능 기술을 활용해 다양한 산업에서 혁신을 이끄는 기업들.
- 전기차: 친환경 에너지와 자율주행 기술을 결합한 교통 혁명.
- 2차전지: 전기차와 재생에너지 저장의 핵심 기술.

실전 사례
- AI 테마: 엔비디아는 AI GPU 기술로 데이터 분석과 자율주행의 선두주자가 되었다.
- 전기차 테마: 테슬라는 전 세계 전기차 시장을 혁신하며 관련 산업 전체를 성장시켰다.
- 2차전지 테마: CATL(중국)과 LG에너지솔루션(한국)은 전기차 배터리 공급망을 주도하며 시장의 핵심 기업으로 떠올랐다.

2. 테마주 투자 전략

1) 장기적인 성장 가능성을 평가하라
- 테마주의 핵심은 단기적인 변동성이 아니라, 장기적인 성장 가능성이다.

- 예: AI 기술은 데이터 분석, 헬스케어, 자율주행 등 다양한 분야에서 폭넓게 활용된다.

실전 팁

- AI: 엔비디아, 팔란티어 같은 기술 혁신 기업.
- 전기차: 테슬라, 리비안, BYD.
- 2차전지: LG에너지솔루션, CATL, 파나소닉.

2) ETF를 활용한 분산 투자

- 테마주 투자에서 단일 종목 대신 관련 ETF를 활용해 리스크를 줄일 수 있다.
- 예: AI 산업 → ARK Innovation ETF(ARKK), 전기차 → Global X Lithium & Battery Tech ETF(LIT).

실전 사례

한 투자자는 ARKK와 LIT에 분산 투자해 AI와 전기차 산업의 성장 혜택을 동시에 누렸다.

3) 정부 정책과 시장 흐름에 주목하라

- 정부의 지원 정책과 사회적 변화는 테마주의 성장에 중요한 요소다.
- 예: 미국의 인플레이션 감축법(IRA)은 전기차와 2차전지 산업에 큰 투자 기회를 제공했다.

실전 팁

- 정부의 보조금 지원 정책과 친환경 산업 육성 계획을 지속적으로 모니터링하라.

4) 기업의 기술력과 시장 점유율 분석

- 테마주 투자는 단순히 테마에 따라 투자하는 것이 아니라, 해당 산업에서 경쟁 우위를 가진 기업을 선택하는 것이 중요하다.

실전 사례
AI 산업에서 엔비디아는 GPU 기술을 바탕으로 시장 점유율을 장악하며 꾸준히 성장했다.

3. 유망 테마주: AI, 전기차, 2차전지

1) AI 테마
- 엔비디아: AI 연산에 특화된 GPU 기술로 데이터 분석과 자율주행의 선두주자.
- 팔란티어: 빅데이터 분석을 통해 정부와 민간 기업의 문제 해결을 지원.
- 마이크로소프트: 클라우드 기반 AI 기술과 챗GPT 투자로 AI 시장을 확대.

2) 전기차 테마
- 테슬라: 전 세계 전기차 시장을 선도하며 자율주행 기술에서도 혁신적.
- 리비안: 전기 픽업트럭과 SUV 시장에 특화된 미국 기업.
- BYD: 전기차와 배터리 기술을 결합해 중국 시장의 강자로 자리 잡음.

3) 2차전지 테마
- LG에너지솔루션: 전기차 배터리 분야의 글로벌 리더.
- CATL: 세계 최대 배터리 제조업체로, 전기차와 에너지 저장 시스템을 지원.
- 파나소닉: 테슬라와의 협력을 통해 고성능 배터리 시장을 장악.

4. 테마주 투자에서 주의할 점

1) 변동성에 대비하라
- 테마주는 성장 가능성이 높은 만큼 변동성도 크다.
- 예: AI 산업 초기 단계에서는 기술 상용화 속도가 느려 주가가 급락한 사례가 많았다.

실전 팁

- 장기적인 관점에서 투자하고, 단기적인 주가 변동에 흔들리지 마라.
- 분산 투자를 통해 리스크를 관리하라.

2) 과열된 종목은 피하라

- 테마주가 시장의 과도한 관심을 받을 때, 가격이 적정 가치를 초과하는 경우가 많다.
- 예: 밈 주식과 비슷하게 과열된 AI 주식은 신중히 접근해야 한다.

3) 테마의 실질적 성장 가능성을 평가하라

- 테마 자체가 매력적으로 보일지라도, 실제로 수익성을 창출할 수 있는지를 분석하라.
- 예: 초기 단계의 전기차 기업 중 많은 기업이 적자를 지속하고 있다.

5. 테마주 성공 사례

1) AI 테마 성공 사례

- 엔비디아에 2015년 투자한 투자자는 AI 기술 수요 증가와 함께 막대한 수익을 기록했다.

2) 전기차 테마 성공 사례

- 테슬라의 초기 주식을 보유한 투자자는 전기차 보급 확대와 함께 높은 수익을 올렸다.

3) 2차전지 테마 성공 사례

- LIT ETF에 투자한 한 투자자는 전기차와 배터리 시장의 급성장으로 안정적이면서도 높은 수익을 얻었다.

6. 테마주, 투자 성공의 새로운 길

테마주는 투자자에게 미래를 향한 가능성을 제공한다.

- AI, 전기차, 2차전지 같은 첨단 기술 산업은 장기적으로 글로벌 경제를 주도할 것이다.
- 정부 정책, 기술 발전, 기업 경쟁력을 고려해 유망 테마주를 선택하라.
- 변동성에도 불구하고 장기적인 관점에서 투자한다면, 테마주는 높은 수익률을 가져다 줄 것이다.

이제 당신도 테마주 투자를 통해 미래 산업의 성장과 함께 경제적 자유를 향한 새로운 길을 열어보자!

다음 장에서는 장기적으로 유망한 투자 섹터를 선정하는 방법을 살펴보자.

15.3 장기적으로 유망한 투자 섹터

미래를 준비하는 투자

주식 투자에서 장기적인 안목은 성공의 열쇠다.
특히 기술 혁신, 인구 구조 변화, 그리고 정책적 지원을 기반으로 성장하는 투자 섹터를 미리 파악하면, 미래의 성장 가능성을 선점할 수 있다.
이 장에서는 장기적으로 유망한 투자 섹터를 살펴보고, 이를 기반으로 투자 전략을 세우는 방법을 소개한다.

1. 유망 투자 섹터의 특징

1) 구조적 성장 가능성
   - 장기적으로 산업이 확장할 수 있는 기반이 있는가?
   - 예: 인구 고령화 → 헬스케어 산업 성장, 기후 변화 → 재생에너지 확산.

2) 정책과 규제의 지원
   - 정부의 정책적 지원은 산업의 성장 동력을 강화한다.
   - 예: 탄소 중립 목표 → 전기차, 재생에너지 섹터 성장.

3) 기술 혁신과 변화
   - 기술 발전은 새로운 시장과 비즈니스 모델을 창출한다.
   - 예: AI, 블록체인, IoT(사물인터넷).

실전 팁
- 유망 섹터는 단기적인 트렌드가 아니라, 장기적인 사회적·경제적 변화에 기반한다.
- 시장 분석과 기업 펀더멘털을 바탕으로 성장 가능성을 평가하라.

2. 장기적으로 유망한 투자 섹터

1) 헬스케어와 바이오테크
- 이유: 인구 고령화와 팬데믹 이후 건강에 대한 관심 증가.
- 주요 종목:
  - 존슨앤드존슨(Johnson & Johnson): 헬스케어 제품과 제약 분야의 글로벌 리더.
  - 모더나(Moderna): 혁신적인 mRNA 백신 기술을 통해 바이오테크 산업을 선도.
  - 텔라닥(Teladoc): 원격 의료 서비스 시장의 선두주자.

실전 사례

팬데믹 당시 모더나와 화이자에 투자한 투자자들은 백신 수요 폭증으로 높은 수익을 기록했다.

2) 재생에너지
- 이유: 글로벌 탄소 중립 목표와 재생에너지 기술 발전.
- 주요 종목:
  - 넥스트에라 에너지(NextEra Energy): 재생에너지 프로젝트를 주도하는 글로벌 기업.
  - ICLN(클린 에너지 ETF): 재생에너지 기업들로 구성된 ETF.
  - 퍼스트솔라(First Solar): 태양광 패널 생산의 글로벌 선두주자.

실전 사례

탄소 배출 규제가 강화된 이후, 넥스트에라 에너지는 재생에너지 산업의 확대와 함께 지속적으로 성장했다.

3) AI와 데이터 분석
- 이유: 4차 산업혁명의 핵심 기술로 모든 산업에 활용 가능.
- 주요 종목:
  - 엔비디아(NVIDIA): AI 연산에 특화된 GPU 기술로 시장을 선도.
  - 팔란티어(Palantir): 빅데이터 분석 솔루션으로 정부와 민간 기업의 문제 해결.
  - 마이크로소프트(Microsoft): AI와 클라우드 기술의 선두주자.

실전 사례

AI 기술 수요 증가로 엔비디아는 2020년 이후 주가가 급격히 상승하며 투자자들에게 높은 수익을 안겨주었다.

4) 전기차와 2차전지

- 이유: 친환경 교통 수단의 확대와 배터리 기술 발전.
- 주요 종목:
  - 테슬라(Tesla): 전기차 시장의 선도 기업.
  - CATL(중국): 세계 최대 배터리 제조업체로, 전기차 배터리 공급망의 핵심.
  - LIT(Global X Lithium & Battery Tech ETF): 전기차 배터리와 리튬 관련 기업들로 구성된 ETF.

실전 사례

전기차 보급 확대와 함께 CATL은 글로벌 배터리 시장 점유율을 급격히 확대하며 투자자들에게 높은 수익을 제공했다.

3. 장기적 투자 섹터를 공략하는 방법

1) 산업 내 리더 기업에 집중

- 각 섹터의 기술적 경쟁력과 시장 점유율을 보유한 리더 기업에 투자하라.
- 예: AI → 엔비디아, 재생에너지 → 넥스트에라 에너지.

2) ETF를 활용한 분산 투자

- 특정 섹터의 종목을 선택하기 어렵다면, ETF를 통해 분산 투자하라.
- 예: 헬스케어 → XLV(헬스케어 ETF), 재생에너지 → ICLN.

3) 장기적 관점에서 투자하라

- 단기적인 변동성을 무시하고, 장기적인 성장 가능성에 초점을 맞춰라.

- 분기별 실적 발표와 산업 동향을 지속적으로 점검하라.

실전 사례
한 투자자는 LIT ETF에 5년간 꾸준히 투자하며 전기차 배터리 산업의 성장을 경험했다.

4. 장기 투자에서 주의할 점

1) 초기 과열 경계
   - 유망 섹터라 하더라도, 초기에 과대평가된 종목은 신중히 접근해야 한다.
   - 예: 초기 전기차 열풍으로 인해 과열된 종목들.

2) 정책 변화 모니터링
   - 정부 지원 정책이 변경되거나 산업 규제가 강화될 경우, 섹터 성장 속도가 느려질 수 있다.

3) 기술의 실질적 상용화 확인
   - 혁신 기술이 실제로 수익을 창출할 수 있는지를 검토하라.
   - 예: 바이오테크 기업의 경우, 임상시험 성공 여부가 중요하다.

5. 성공 사례로 보는 장기 투자 섹터

1) 헬스케어
   - 존슨앤드존슨에 장기 투자한 투자자는 안정적인 배당과 주가 상승을 통해 꾸준한 수익을 얻었다.

2) 재생에너지
   - ICLN ETF를 꾸준히 매수한 투자자는 탄소 중립 정책과 함께 재생에너지 시장의 성장을 경험했다.

3) AI와 데이터 분석

- 팔란티어에 초기 투자한 투자자는 데이터 분석 수요 증가와 함께 높은 수익을 올렸다.

6. 장기 투자 섹터, 미래를 여는 열쇠

장기적인 성장 가능성이 높은 투자 섹터는 단기적 수익을 넘어, 지속 가능한 자산 증식을 가능하게 한다.

- 헬스케어, 재생에너지, AI, 전기차 같은 섹터는 글로벌 경제의 미래를 주도할 것이다.
- 기술 혁신과 정책 지원, 그리고 기업 경쟁력을 기반으로 유망 섹터를 선택하라.
- 장기적 관점에서 꾸준히 투자하며 미래의 기회를 선점하라.

이제 당신도 장기적으로 유망한 투자 섹터에 투자해, 경제적 자유를 향한 새로운 길을 열어보자!

16. 나만의 투자 원칙 만들기

16.1 워런 버핏과 벤저민 그레이엄의 교훈

세상을 바꾼 두 명의 투자 대가

주식 투자의 세계에서 워런 버핏과 벤저민 그레이엄은 전설적인 이름이다.
이 두 사람은 단순히 돈을 버는 방법을 넘어, 투자 철학을 예술의 경지로 끌어올렸다.
그들의 이야기를 따라가다 보면, 우리가 지금 투자에서 추구해야 할 가치와 철학이 무엇인지 깨닫게 된다.

1. 벤저민 그레이엄: "안전 마진"의 아버지

1929년, 대공황이 시작되며 미국 주식 시장은 붕괴 직전에 있었다.
사람들은 공포에 휩싸였고, 투자자들은 하루아침에 모든 것을 잃었다.
그런 와중에도 한 사람, 벤저민 그레이엄은 잃지 않았다.
그는 단순한 운이 아니라, 철저히 계산된 투자 원칙 덕분에 살아남았다.
그 원칙은 바로 안전 마진이었다.

안전 마진이란?
그레이엄은 "가치와 가격 사이에 충분한 차이가 있어야만 주식을 매수한다"고 주장했다.
쉽게 말해, 기업의 본질적 가치가 주가보다 훨씬 높을 때만 투자하라는 것이다.
이 원칙은 위험을 최소화하고, 장기적으로 안정적인 수익을 창출할 수 있는 강력한 전략이 되었다.

실전 사례
그레이엄의 학생이었던 워런 버핏은 코카콜라에 투자할 때 이 원칙을 활용했다.
1988년, 코카콜라의 주가는 상대적으로 저평가되어 있었다.
버핏은 기업의 본질적 가치를 계산해 주식을 매수했고, 지금까지도 보유하며 엄청난 수익을 거두고 있다.
그는 말한다. "내가 가장 좋아하는 보유 기간은 영원이다."

2. 워런 버핏: 단순하지만 강력한 철학

벤저민 그레이엄의 가르침을 받은 워런 버핏은 그 교훈을 자신의 철학으로 발전시켰다.
버핏은 투자에서 단순함을 강조한다.
"우리는 복잡한 투자 전략을 피하고, 우리가 이해할 수 있는 사업에만 투자한다."

그의 전략은 세 가지로 요약된다.
1) 사업의 이해: 투자하려는 기업이 무엇을 하고, 어떻게 돈을 버는지 완벽히 이해하라.
2) 경쟁 우위: 다른 기업이 쉽게 모방할 수 없는 강력한 경쟁력을 가진 기업에 투자하라.
3) 장기적 관점: 단기적인 시장 변동성에 흔들리지 말고, 기업의 장기적인 성장 가능성을 보라.

실전 사례
버핏의 가장 유명한 투자 사례 중 하나는 바로 애플이다.
2016년, 버핏은 애플에 대규모 투자를 시작했다.
당시 많은 사람들은 "기술주는 변동성이 너무 커서 위험하다"고 말했지만, 버핏은 달랐다.
애플이 가진 강력한 브랜드와 생태계를 높이 평가했고, 현재 애플은 버크셔 해서웨이 포트폴리오의 최대 비중을 차지하고 있다.

3. 대가들의 투자 철학에서 배우는 교훈

1) 가치에 집중하라
- 주식의 가격이 아니라, 기업의 본질적 가치를 보라.

- "시장은 단기적으로는 인기 투표기계지만, 장기적으로는 체중계다." - 벤저민 그레이엄

2) 간단한 것을 고수하라
- 이해하기 어려운 사업 모델이나 복잡한 투자 전략은 피하라.
- "우리는 이해하지 못하는 사업에는 절대 투자하지 않는다." - 워런 버핏

3) 인내심을 가져라
- 단기적인 이익에 연연하지 말고, 장기적으로 기업이 성장하는 과정을 함께하라.
- "좋은 기업을 찾았다면, 시계가 아닌 달력으로 생각하라." - 워런 버핏

4. 재미있는 실패 사례: 버핏도 완벽하지 않다

물론, 워런 버핏도 실패를 겪었다.
그 중 대표적인 사례는 항공 산업 투자다.
버핏은 항공 산업의 성장 가능성을 보고 여러 항공사에 투자했지만, 과도한 경쟁과 높은 비용 구조로 인해 결국 큰 손실을 기록했다.
팬데믹 초기, 그는 항공사 주식을 모두 매도하며 "항공 산업은 우리가 이해하기에는 너무 어렵다"고 인정했다.

교훈
버핏의 실패 사례는 우리가 모든 투자에서 성공할 수는 없음을 보여준다.
중요한 것은 실패에서 교훈을 얻고, 다음 투자에 반영하는 것이다.

5. 당신의 투자 철학을 만들어라

버핏과 그레이엄의 철학은 모두에게 동일하게 적용되지는 않는다.
하지만 이들의 원칙에서 각자 배울 점을 찾아, 자신만의 투자 철학을 세우는 것이 중요

하다.

예를 들어:

- 당신은 단기적인 매매보다는 장기적인 관점을 선호하는가?
- 안정적인 기업에 투자하고 싶은가, 아니면 빠르게 성장하는 스타트업에 관심이 있는가?

투자는 단순히 돈을 버는 과정이 아니다.

그것은 자신의 가치를 반영하는 철학을 세우고, 이를 실천하는 여정이다.

워런 버핏과 벤저민 그레이엄의 발자취를 따라가며, 당신만의 투자 이야기를 만들어보자.

이제, 다음 장에서 개인화된 투자 철학을 세우는 구체적인 방법을 알아보자!

16.2 개인화된 투자 철학 세우기

나만의 투자 스타일을 찾아라

"투자는 다른 사람을 흉내 내는 것이 아니라, 자신만의 길을 찾는 것이다."
투자 대가들이 공통적으로 강조하는 메시지다.
워런 버핏도, 벤저민 그레이엄도 자신만의 투자 철학을 바탕으로 성공을 이루어냈다.
그들의 철학이 완벽해 보여도, 나에게 꼭 맞는 옷처럼 느껴지지 않을 수 있다.
이 장에서는 나만의 투자 철학을 세우는 과정을 쉽고 재미있게 살펴본다.

1. 투자 철학이란 무엇인가?

투자 철학은 단순한 전략이 아니라, 나의 신념과 원칙이다.
이 철학은 투자 과정에서 흔들리지 않는 기준점이 되어준다.
예를 들어, 이런 질문에 답해보자:
- "나는 장기 투자를 선호하는가, 단기 수익을 추구하는가?"
- "위험을 감수하며 성장주에 투자할 것인가, 안정적인 배당주를 선호할 것인가?"

실전 사례
한 친구는 워런 버핏의 장기 투자 철학에 감명받아 코카콜라와 존슨앤드존슨 같은 안정적인 기업에 투자했다.
다른 친구는 고위험·고수익을 목표로 AI와 전기차 관련 성장주에 집중했다.
둘의 방식은 다르지만, 각자의 철학에 맞춰 투자하며 만족스러운 결과를 얻었다.

2. 나만의 투자 철학 세우기

1) 나의 성향 파악하기
  - 투자 철학은 나의 성향을 기반으로 해야 한다.

- 돈을 잃는 것에 민감한가? 아니면 위험을 감수할 수 있는가?

자신에게 물어볼 질문들
- 내가 한밤중에 주가를 확인하며 잠을 설친 적이 있는가?
- 큰 손실을 감수할 수 있는가, 아니면 안정성을 더 중요하게 생각하는가?

실전 사례
김씨는 안정성을 중시하는 성향을 깨닫고, 삼성전자 우선주 같은 배당주에 투자했다.
반면 박씨는 성장 가능성을 믿고 엔비디아와 팔란티어 같은 고성장 기업에 투자했다.

2) 투자 목표 설정하기
- "돈을 얼마나 벌고 싶은가?"
- "그 돈이 언제쯤 필요할 것인가?"

실전 팁
- 은퇴 준비: 20년 이상 투자 가능한 장기적인 관점 → S&P500 ETF, 헬스케어 ETF
- 단기 수익: 1~3년 내 수익 목표 → 특정 산업 성장주

실전 사례
한 투자자는 자녀의 대학 등록금을 마련하기 위해 10년 계획을 세우고, 꾸준히 배당주와 ETF에 투자했다.
반면, 또 다른 투자자는 결혼자금을 3년 안에 모으기 위해 리스크를 감수하며 전기차 관련 테마주에 투자했다.

3) 투자 철학에 맞는 종목 찾기
- 내가 세운 철학에 맞는 종목이나 산업을 선택하라.

철학별 추천 전략

- 안정성을 중시하는 투자자: 배당주, 블루칩 기업, 헬스케어 및 유틸리티 ETF.
- 성장을 추구하는 투자자: AI, 전기차, 2차전지와 같은 첨단 기술주.
- 리스크를 감수하는 투자자: 스타트업, 신흥국 시장 ETF.

실전 사례

정씨는 "안정적인 수익이 중요하다"는 철학에 따라, 꾸준히 배당을 지급하는 P&G와 존슨앤드존슨을 선택했다.

반면 최씨는 "큰 성장을 원한다"는 목표에 맞춰 팔란티어와 리비안 같은 성장주를 선택했다.

3. 투자 철학을 지키는 법

1) 유혹에 흔들리지 않기

- 시장의 과열이나 주변 사람들의 추천에 휘둘리지 말고, 나만의 원칙을 지켜라.

실전 사례

2021년 밈 주식 열풍에서 많은 사람들이 게임스톱과 AMC에 뛰어들었지만,

한 투자자는 "나는 이해할 수 있는 기업에만 투자한다"는 철학을 고수하며 손실을 피했다.

2) 장기적 관점 유지

- 단기적인 변동성에 흔들리지 않고, 목표에 집중하라.

실전 사례

A 투자자는 팬데믹 초기 시장 급락에도 S&P500 ETF를 매도하지 않고, 장기적으로 보유하며 이후 시장 회복으로 수익을 얻었다.

3) 주기적으로 철학 점검하기

- 시장과 나의 상황은 변할 수 있다.

- 주기적으로 나의 철학이 여전히 유효한지 점검하라.

실전 팁
- 1년에 한 번 투자 일지를 작성하며 목표와 성과를 검토하라.
- 나의 성향 변화나 경제 상황에 따라 철학을 조정할 수 있다.

4. 다양한 사례로 배우는 투자 철학

1) 장기적 안정성을 중시하는 철학
- 워런 버핏은 안정성과 이해 가능한 사업에 투자하며 "시간이 나의 친구"라는 철학을 실천.

2) 고위험·고수익을 추구하는 철학
- 초기 테슬라 주식을 매수한 투자자들은 큰 리스크를 감수했지만, 놀라운 성장을 경험.

3) 사회적 가치를 중시하는 철학
- ESG 투자를 선호하는 투자자들은 지속 가능성과 수익성을 동시에 추구하며, 재생에너지 ETF에 집중.

5. 나만의 투자 이야기 만들기

투자는 단순히 돈을 벌기 위한 도구가 아니다.
그것은 나의 가치와 철학, 그리고 인생의 목표를 반영하는 과정이다.
당신은 어떤 투자자가 되고 싶은가?
지금부터 나만의 투자 철학을 세우고, 이를 바탕으로 투자 여정을 시작하라.

다음 장에서는 지속 가능한 투자 습관을 만들기 위한 실질적인 방법을 알아보자!

16.3 지속 가능한 투자 습관 만들기

성공 투자를 위한 꾸준한 여정

주식 투자는 단기적인 이익을 추구하는 단거리 경주가 아니다.
오히려 지속 가능한 투자 습관을 통해 장기적인 성과를 쌓아가는 마라톤과 같다.
투자를 시작하는 것은 어렵지 않다. 하지만 투자에서 꾸준히 성공하기 위해서는 올바른 습관이 뒷받침되어야 한다.
이 장에서는 당신을 성공적인 투자자로 만들어줄 지속 가능한 투자 습관을 만드는 방법을 살펴본다.

1. 투자 습관의 중요성

워런 버핏은 이렇게 말했다.
"투자란 시간을 통해 돈이 스스로 일하게 만드는 과정이다."
하지만 돈이 제대로 일하도록 하려면, 꾸준히 관리하고 성장시킬 습관이 필요하다.
한 번의 성공이 아니라, 반복 가능한 성공을 만들어야 진정한 투자자가 될 수 있다.

2. 지속 가능한 투자 습관 만들기

1) 명확한 목표 설정하기
성공적인 투자는 목표에서 시작된다.
투자 목표가 명확해야 장기적인 방향성을 잃지 않고 흔들리지 않을 수 있다.

목표 설정 예시
- 5년 후, 자녀 교육비로 사용할 1억 원을 마련하기.
- 은퇴 후 안정적인 생활을 위해 매달 200만 원의 배당금 받기.

실전 사례
한 투자자는 은퇴 자금을 마련하기 위해 매달 50만 원씩 배당주 ETF에 투자했다.
20년 동안 꾸준히 투자하며 배당금으로 매달 필요한 생활비를 충당할 수 있게 되었다.

2) 주기적인 투자
"시장을 타이밍 맞추려고 하지 말고, 시간을 활용하라."
이 말은 투자자들 사이에서 자주 회자된다.
시장 타이밍을 맞추기 어려운 만큼, 정기적인 투자가 성공의 열쇠다.

실천 방법
- 매월 일정 금액을 정해 꾸준히 투자하는 적립식 투자.
- 특정 종목이 아니라 ETF 같은 분산 투자 상품에 초점을 맞춰 변동성을 낮춤.

실전 사례
한 직장인은 월급의 10%를 나스닥100 ETF(QQQ)에 꾸준히 투자하며, 10년 뒤 자산이 3배 이상 증가했다.
그는 주가가 하락할 때도 멈추지 않았고, 오히려 추가 매수하며 장기적 성과를 누렸다.

3) 투자 기록을 남기기
투자 결정을 기록하고 분석하는 습관은 성공을 지속시키는 데 필수적이다.
매수와 매도 이유, 당시의 시장 상황, 투자 성과 등을 기록하면 더 나은 결정을 내릴 수 있다.

투자 일기 작성 팁
- 매수/매도 이유: 왜 이 주식을 선택했는가? 왜 이 시점에 매도했는가?
- 성과 분석: 투자 결과가 예상과 다르다면, 무엇이 잘못되었는가?
- 교훈: 다음 투자에 어떻게 적용할 것인가?

실전 사례
한 투자자는 자신의 실패 경험을 투자 일기에 기록하며 손절 기준을 더 명확히 설정했다.
결과적으로 리스크를 줄이고 꾸준히 수익률을 개선할 수 있었다.

4) 정보 관리와 학습
지속 가능한 투자자는 항상 배우고, 최신 정보를 업데이트한다.
시장의 흐름, 새로운 기술, 경제 변화는 투자 기회를 창출하거나 리스크를 경감시킨다.

학습 방법
- 뉴스, 보고서, 경제 지표를 꾸준히 읽기.
- 투자 관련 도서와 강의를 통해 새로운 전략 배우기.
- 자신만의 정보원을 정리하고 신뢰할 수 있는 출처에 집중하기.

실전 사례
AI 산업에 주목한 한 투자자는 엔비디아와 팔란티어에 초기 투자하며, 새로운 기술에 대한 학습이 얼마나 중요한지를 증명했다.

5) 감정에 휘둘리지 않기
시장의 변동성은 투자자에게 감정적 압박을 준다.
하지만 감정적으로 행동하면 투자 실패로 이어질 가능성이 크다.
냉정한 태도를 유지하는 것이 성공적인 투자 습관의 핵심이다.

실전 팁
- 매도 결정을 내릴 때는 "두려움"이 아니라 데이터를 바탕으로 판단하라.
- 매수 시 "탐욕"이 아니라 기업의 펀더멘털에 초점을 맞춰라.

실전 사례

2020년 팬데믹 초기, 공포에 휩쓸려 매도한 투자자들은 시장 반등으로 수익 기회를 놓쳤다.
반면, 차분히 우량주를 추가 매수한 투자자는 시장 회복과 함께 큰 수익을 거뒀다.

3. 지속 가능한 습관의 성공 사례

장기 투자의 아이콘, 워런 버핏
워런 버핏은 매년 버크셔 해서웨이의 주주 서한을 통해 투자 원칙을 공유한다.
그는 감정이 아닌 철저한 데이터와 장기적 관점을 바탕으로 투자하며, 매년 꾸준한 수익을 창출해왔다.

꾸준한 적립식 투자, 평범한 직장인의 성공
평범한 직장인이었던 한 투자자는 매달 일정 금액을 나스닥100 ETF에 투자했다.
10년 뒤, 그는 직장에서의 소득보다 투자 수익으로 더 큰 자산을 축적할 수 있었다.

4. 지속 가능한 투자 습관을 위한 다짐

- 매월 일정 금액을 꾸준히 투자할 것.
- 시장의 유혹에 흔들리지 않고, 나의 투자 원칙을 지킬 것.
- 실패에서도 배울 교훈을 찾고, 이를 다음 투자에 적용할 것.
- 경제와 기술 변화에 대한 학습을 멈추지 않을 것.

5. 결론: 꾸준함이 승리를 만든다

지속 가능한 투자 습관은 단순한 행동의 반복이 아니다.
그것은 투자자로서의 철학을 실행하고, 장기적으로 성공을 이루는 과정이다.
오늘부터 꾸준히 실천하고, 미래의 자신에게 더 큰 경제적 자유를 선물하자.

당신도 지금부터 지속 가능한 투자 습관을 만들어, 꾸준한 성공의 길로 나아가보자!
다음 장에서는 성공 사례를 통해 실제 투자 전략을 더 깊이 탐구해보자.

17. 성공 사례로 배우는 주식 투자

17.1 세계적 투자자의 전략과 원칙

투자의 대가들에게 배우는 지혜

투자란 어렵고도 매력적인 게임이다.
시장의 변동 속에서 꾸준히 수익을 올린다는 것은 단순한 운이 아니라, 명확한 전략과 철학이 뒷받침될 때 가능하다.
세계적인 투자 대가들은 저마다의 독특한 방식으로 성공을 이뤘고, 그들의 이야기는 우리에게 투자 철학과 원칙을 세우는 데 큰 영감을 준다.
이 장에서는 7명의 세계적 투자자들의 전략과 철학을 살펴보며, 그들만의 흥미로운 이야기를 소개한다.

1. 워런 버핏: 가치를 사랑한 투자자

워런 버핏이 1964년 버크셔 해서웨이라는 섬유 회사를 인수했을 때, 사람들은 의아해했다.
"섬유산업은 사양산업인데 왜 투자한 거지?"
하지만 버핏의 진짜 목표는 섬유가 아니었다.
그는 회사를 재편해 보험업과 안정적인 현금 흐름을 가진 산업에 투자하기 위한 발판으로 삼았다.
이후 그는 길레트(면도기), Dairy Queen(아이스크림 체인) 같은 소비재 기업에 투자하며 "지속 가능한 강력한 브랜드"의 중요성을 증명했다.

버핏의 전략
1) 안전 마진: 기업의 가치가 주가보다 훨씬 높을 때만 투자한다.
2) 브랜드와 경쟁 우위: 경쟁자가 쉽게 넘볼 수 없는 강력한 브랜드를 선호한다.
3) 장기적 관점: 투자한 기업과 함께 성장한다는 철학.

교훈

- 단기적인 유행이 아니라, 시간이 지나도 사랑받는 기업에 투자하라.
- 안정적인 현금 흐름을 만들어내는 사업은 장기적 투자에 유리하다.

2. 캐시 우드: 혁신을 믿는 투자자

캐시 우드는 미래를 예측하는 데 타고난 능력을 가진 듯 보인다.

2016년, 그녀는 테슬라에 막대한 투자를 했다. 당시만 해도 많은 사람들은 전기차의 미래를 회의적으로 봤다.

"이건 그냥 고급 장난감이야. 자동차 산업 전체를 바꾸긴 어려울 거야."

하지만 우드는 테슬라가 단순히 자동차 회사가 아니라, 에너지와 기술 혁신의 중심이라고 믿었다.

그녀의 예측은 적중했고, 테슬라는 ARK Invest의 대표 성공 사례가 되었다.

우드의 전략

1) 혁신 기술 중심: 미래를 선도할 기술과 산업에 집중 투자.
2) 테마 투자: 전기차, AI, 유전자 편집 등 고성장 산업에 초점을 맞춘다.
3) 리스크 감수: 높은 변동성을 감수하더라도 큰 성장 가능성을 추구한다.

교훈

- 남들이 두려워할 때, 미래의 가능성을 믿고 과감히 투자하라.
- 혁신 기술은 시간이 걸리더라도 꾸준히 성장한다.

3. 레이 달리오: 경제를 읽는 투자자

레이 달리오는 어린 시절 골프장에서 캐디로 일하며 우연히 들은 투자 이야기를 계기로 금융 세계에 발을 들였다.

그는 경제의 흐름을 이해하는 것이 투자의 핵심이라 믿고, 브리지워터 어소시에이츠를 세계 최대 헤지펀드로 키웠다.

그의 대표적인 전략은 바로 "올웨더 포트폴리오"다.

"시장 상황이 어떻든 안정적인 성과를 내는 포트폴리오를 만들자."
이를 위해 그는 주식, 채권, 원자재, 금 등 다양한 자산에 분산 투자했다.

달리오의 전략
1) 분산 투자: 리스크를 최소화하기 위해 자산군을 나눠 투자한다.
2) 경제 주기 이해: 경기 확장기와 위기 상황을 예측해 대비한다.
3) 리스크 관리: 수익보다 리스크를 먼저 고려한다.

교훈
- 시장이 아무리 변동성을 보여도, 철저히 준비된 포트폴리오는 흔들리지 않는다.
- 경제 흐름을 이해하고, 그에 맞는 자산 배분을 하라.

4. 짐 사이먼스: 수학으로 시장을 이긴 투자자

"투자는 예술이 아니라 과학이다."
짐 사이먼스는 르네상스 테크놀로지를 설립하며 퀀트 투자라는 새로운 영역을 열었다.
그는 수학적 모델과 데이터 분석을 통해 시장의 패턴을 찾아내고,
사람의 감정에 의존하지 않는 알고리즘으로 투자 결정을 내렸다.

사이먼스의 전략
1) 데이터 기반: 모든 투자 결정을 통계와 데이터에 기반한다.
2) 감정 배제: 인간의 직감이나 감정에 의존하지 않는다.
3) 기술 활용: 컴퓨터와 알고리즘을 통해 시장의 미세한 움직임을 포착한다.

교훈
- 데이터는 투자에서 강력한 무기가 될 수 있다.
- 감정이 아닌, 철저히 논리적으로 시장을 분석하라.

5. 피터 린치: 친숙한 곳에서 기회를 찾다

피터 린치는 "일상에서 아이디어를 얻어라"라는 철학으로 유명하다.
그가 펀드 매니저로 활동하던 시절, 아내와 함께 쇼핑을 하다 한 의류 매장에서 고객이 몰리는 것을 보고
해당 기업(갭, Gap)에 투자했다.
그의 투자 감각은 단순했다: "내가 이해할 수 있고, 좋아하는 회사에 투자하자."

린치의 전략
1) 일상에서 발견: 투자 아이디어는 일상적인 경험에서 시작된다.
2) 이해 가능한 기업: 스스로 이해할 수 없는 복잡한 사업 모델은 배제한다.
3) 성장 가능성 중심: 소규모지만 빠르게 성장하는 기업에 주목한다.

교훈
- 내가 소비자로서 좋아하는 기업이라면 투자자로서도 매력적일 가능성이 크다.
- 시장의 거대 트렌드보다 작은 성장 스토리에 주목하라.

6. 조지 소로스: 시장의 비효율성을 활용하다

조지 소로스는 1992년 영국 파운드화 위기를 예측하고 대규모 공매도로 큰 성공을 거두었다.
"시장은 비합리적일 때가 많다. 그것을 기회로 삼아야 한다."
그는 시장의 심리적 흐름을 파악하고, 극단적으로 과대평가되거나 과소평가된 자산에 베팅했다.

소로스의 전략
1) 심리 분석: 시장 참여자들의 심리적 편향을 읽어낸다.
2) 과감한 베팅: 확신이 있을 때는 대규모로 투자한다.
3) 유연성: 상황에 따라 투자 전략을 빠르게 바꿀 줄 안다.

교훈

- 시장의 비합리성을 두려워하지 말고, 이를 투자 기회로 활용하라.
- 빠르게 변하는 시장 상황에 유연하게 대처하라.

7. 찰리 멍거: 사고의 폭을 넓혀라

워런 버핏의 파트너인 찰리 멍거는 단순한 투자 전략을 넘어, 다양한 학문적 접근을 통해 투자를 해석했다.
그는 심리학, 역사, 철학을 통해 투자 결정을 내리는 "사고의 폭"을 강조했다.
"좋은 투자는 넓은 관점에서 시작된다."

멍거의 전략

1) 멀티디스플린 전략: 다양한 분야의 지식을 결합해 문제를 해결한다.
2) 심리적 함정 피하기: 투자자들의 공포와 탐욕을 활용한다.
3) 가치 중시: 버핏과 마찬가지로 기업의 내재 가치를 평가한다.

교훈

- 폭넓은 시야와 지식은 투자의 성공을 좌우한다.
- 단순히 숫자가 아니라, 사업의 본질을 이해하라.

8. 대가들의 공통된 교훈

이 7명의 투자 대가들은 서로 다른 전략을 가졌지만, 모두 공통된 원칙을 강조한다.
- 철학이 있어야 한다: 자신의 투자 신념과 원칙을 고수하라.
- 데이터와 분석: 시장을 감정이 아닌 논리로 접근하라.
- 장기적 관점: 시장 변동성 속에서도 원칙을 지키며 기다려라.

그들의 이야기는 단순히 "돈 버는 법"이 아니라, "투자자로서 어떻게 살아야 하는가"를 가르쳐준다.
다음 장에서는 국내 성공 사례를 통해, 글로벌 시장과는 또 다른 교훈을 배워보자!

17.2 국내 투자 성공 사례 분석

숨은 보석 같은 성공 이야기

주식 시장에서 성공한 사례를 떠올릴 때, 우리는 흔히 삼성전자, 현대자동차 같은 대기업을 떠올린다.
물론 이들의 성공은 화려하지만, 국내 투자 시장에는 잘 알려지지 않은 보석 같은 이야기도 많다.
이 장에서는 색다른 관점에서 국내 성공 사례를 살펴보며, 뻔하지 않은 투자 교훈을 얻어본다.

1. 카카오게임즈: IPO 열풍의 숨은 주역

2020년, 카카오게임즈는 코스닥에 상장하며 화제를 모았다.
하지만 투자자들의 기대는 단순히 IPO의 흥행에 머물지 않았다.
"게임 회사가 카카오 브랜드를 등에 업고 얼마나 성장할 수 있을까?"

카카오게임즈는 단순한 게임 배급사가 아니었다.
자체 개발한 모바일 게임 '오딘: 발할라 라이징'이 큰 성공을 거두며,
게임 업계의 새로운 강자로 자리 잡았다.
IPO 당시 2만 4천 원이었던 주가는 몇 달 만에 두 배 이상 상승하며 투자자들에게 높은 수익을 안겼다.

교훈
- IPO는 단기적인 흥행으로 끝날 수도 있지만, 기업의 본질적 성장 가능성을 살펴야 한다.
- 특정 기업이 속한 시장의 성장 가능성을 면밀히 분석하라.

---

2. 네오위즈: 작은 기업의 글로벌 도전

한때 네오위즈는 PC방에서 음악을 들을 수 있는 '벅스' 서비스로 알려져 있었다.
하지만 이 작은 기업은 게임 산업으로 눈을 돌리며 성장의 날개를 달았다.
특히, 2023년 글로벌 시장에서 큰 인기를 끈 인디 게임 'P의 거짓'은
소울라이크 장르의 게임으로, 뛰어난 그래픽과 스토리로 주목받았다.

"한국에서도 이런 퀄리티의 게임이 나올 줄 몰랐다."라는 해외 유저들의 호평과 함께
네오위즈의 주가는 크게 상승하며 투자자들에게 놀라운 수익을 안겼다.

교훈
- 작지만 독창적인 아이디어를 가진 기업은 글로벌 시장에서 큰 성과를 낼 수 있다.
- 특정 산업의 성장 가능성과 기업의 차별화 전략에 주목하라.

3. F&F: 의류 브랜드가 주식 시장을 뒤흔들다

패션 브랜드 하면 '스타일'만 떠오르기 쉽다.
하지만 F&F는 단순한 의류 기업이 아니라, 강력한 글로벌 확장 전략을 가진 회사로 투자자들의 주목을 받았다.
특히, 브랜드 'MLB'는 중국 시장에서 대히트를 기록하며 기업의 가치를 급격히 끌어올렸다.

"이게 단순히 옷만 팔아서 될 일이야?"
F&F는 라이선스 사업, 현지화된 마케팅 전략을 통해 중국 소비자들의 마음을 사로잡았다.
그 결과, 2021년부터 주가는 지속적으로 상승하며 투자자들에게 높은 수익을 안겨줬다.

교훈
- 브랜드의 인지도와 글로벌 확장 가능성을 평가하라.
- 특정 지역에서의 소비자 트렌드와 기업의 대응 전략을 살펴야 한다.

4. 제주맥주: 작은 시장에서 시작한 대형 스토리

국내 수제 맥주 시장에서 제주맥주는 단순히 "맛있는 맥주"로 알려져 있었다.
하지만 이 기업은 수제 맥주라는 작은 틈새시장에서 시작해, 전국적 유통망을 확보하며 성장했다.

특히, 2021년 코스닥 상장 이후 맥주 브랜드를 넘어
수제 맥주를 하나의 문화로 자리 잡게 하겠다는 비전을 제시했다.
제주맥주의 주가는 초기에 하락했지만,
정부의 주류 규제 완화와 수제 맥주에 대한 소비자 선호 증가로 상승세를 보였다.

교훈
- 틈새시장에서 시작한 기업은 특정 트렌드와 맞물리면 폭발적인 성장을 보일 수 있다.
- 소비자 문화와 시장 규제 변화를 면밀히 관찰하라.

5. 두산퓨얼셀: 신재생 에너지의 히든 챔피언

수소 경제는 한때 비전으로만 여겨졌지만,
두산퓨얼셀은 이를 현실로 만든 기업 중 하나다.
2020년, 정부의 그린뉴딜 정책 발표와 함께 수소 연료전지 시장이 주목받기 시작했다.
두산퓨얼셀은 연료전지 기술력을 기반으로 국내외 시장에서 큰 성과를 거두었다.

특히, 글로벌 친환경 에너지 전환 흐름과 맞물려
두산퓨얼셀의 주가는 급격히 상승하며 투자자들에게 고수익을 안겼다.

교훈
- 정책과 산업의 방향성을 파악하면 새로운 투자 기회를 발견할 수 있다.
- 친환경 기술은 장기적인 성장 가능성을 가진 투자처다.

6. 롯데렌탈: 단순 렌탈에서 미래 모빌리티로

렌터카 사업을 주력으로 하던 롯데렌탈은
단순히 자동차를 빌려주는 회사가 아니라,
전기차와 모빌리티 서비스의 미래를 준비하는 기업으로 변신했다.

2021년 상장 이후, 롯데렌탈은 전기차 기반의 렌터카 사업을 확대하고,
카셰어링과 전기차 충전 인프라에 투자하며 새로운 성장 동력을 확보했다.
이 전략은 투자자들로 하여금 롯데렌탈을 단순한 렌터카 회사가 아닌,
미래 모빌리티 시장의 주역으로 바라보게 했다.

교훈
- 기존 사업을 혁신적으로 변모시키는 기업은 새롭게 재평가될 가능성이 높다.
- 미래 기술과 결합된 전통 산업에 주목하라.

7. 휴마시스: 팬데믹 속에서의 성공 스토리

팬데믹 초기, 휴마시스는 진단키트를 개발하며 국내외에서 큰 성공을 거뒀다.
단순히 키트를 판매하는 데 그치지 않고, 글로벌 네트워크를 활용해 수출을 확대하며
기업의 가치를 급격히 끌어올렸다.

특히, 빠른 시장 대응과 연구개발 역량은
휴마시스가 팬데믹 상황에서 단기적인 성공을 넘어 장기적 신뢰를 얻는 데 기여했다.

교훈
- 예상치 못한 위기는 혁신 기업에게 기회가 될 수 있다.
- 글로벌 시장에서의 경쟁력을 가진 기업은 더 큰 성장 가능성을 가진다.

8. 투자 성공의 숨겨진 비밀

국내 주식 시장에도 다양한 성공 사례가 숨어 있다.
이들의 공통점은 단순한 운이 아니라,
1) 특정 산업의 트렌드와 성장 가능성을 읽어내는 능력,
2) 기업의 차별화된 전략과 장기적 비전에 대한 신뢰,
3) 시장 변화에 민첩하게 대응하는 실행력이 뒷받침되었다는 것이다.

이제 당신도 국내 주식 시장에서 보석 같은 성공 이야기를 발견할 준비가 되었는가?
다음 장에서는 당신의 투자 성공 스토리를 쓰는 방법을 알아보자!

17.3 당신의 투자 성공 스토리 작성하기

투자, 당신도 쓸 수 있는 이야기

"투자에서 진정한 성공이란 무엇일까?"
많은 사람들은 수익률이 높고, 자산이 늘어나는 것을 성공이라고 생각한다.
물론 숫자로 측정되는 성과도 중요하다.
하지만 진짜 성공은 자신의 철학을 지키고, 꾸준히 배우며, 삶을 더 나은 방향으로 이끄는 여정을 완성하는 것이다.
이 책, "초보자를 위한 실전 주식투자 바이블"은 바로 그런 이야기를 만들기 위한 출발점이다.

1. 당신의 첫 발걸음

주식을 처음 시작하려고 할 때, 우리는 두려움과 설렘을 동시에 느낀다.
복잡한 용어와 차트, 끊임없이 오르내리는 주가 속에서 길을 잃을 것 같은 기분이 든다.
하지만 모든 투자 대가들도 처음엔 똑같은 자리에서 출발했다.

워런 버핏도 첫 투자를 했을 때 114달러의 손실을 기록했다.
하지만 그는 "내가 이해할 수 있는 사업에만 투자한다"는 원칙을 세우고,
끊임없이 배우고 실천하며 세계적인 투자자로 성장했다.
그의 첫 발걸음이 있었기에, 지금의 성공 스토리가 가능했던 것이다.

이 책은 그런 첫 발걸음을 위한 지침서다.
주식이 무엇인지부터, 시장을 이해하고 종목을 선택하는 방법,
실전에서의 매매 전략까지, 투자자가 알아야 할 기본과 실전을 모두 담았다.

2. 실패는 성공의 디딤돌이다

투자에는 항상 실패가 따라온다.
한 번의 잘못된 선택으로 큰 손실을 본 사람도 있고,
시장의 급락으로 모든 것을 잃었다고 생각한 사람도 있다.
하지만 실패는 끝이 아니다. 오히려 새로운 출발점이다.

2000년대 초, 닷컴 버블이 터지며 수많은 투자자들이 큰 손실을 입었다.
하지만 일부 투자자들은 그 속에서 기회를 찾았다.
버블 붕괴 이후에도 살아남은 우량 기술주들을 발굴하며,
구글, 아마존 같은 기업의 성장을 함께했다.

이 책에서도 실패를 통해 배운 교훈을 강조했다.
심리적 함정에 빠지지 않는 법, 리스크를 관리하는 법,
그리고 실패를 성장의 기회로 삼는 법을 통해
독자들이 단단한 투자 철학을 가질 수 있도록 돕고자 했다.

3. 나만의 투자 철학 세우기

투자 대가들의 공통점은 단 하나다.
"모든 사람에게 맞는 정답은 없지만, 자신만의 정답을 찾았다"는 것이다.

피터 린치는 말했다.
"내가 이해할 수 없고, 신뢰할 수 없는 기업에는 절대 투자하지 않는다."
그는 주변의 작은 아이디어에서 투자 기회를 발견하고,
자신만의 철학으로 승부했다.

이 책은 독자가 자신의 투자 철학을 세울 수 있도록 돕기 위해 다양한 사례와 방법론을 제시했다.

워런 버핏의 가치 투자, 캐시 우드의 혁신 중심 투자, 레이 달리오의 리스크 관리 철학 등,
다양한 전략과 철학을 참고해, 나만의 원칙을 세우는 방법을 배울 수 있을 것이다.

4. 함께 만들어가는 성공 스토리

이 책은 단순히 정보를 전달하는 도구가 아니다.
독자와 함께 성공 스토리를 써 내려가고자 하는 동반자다.
우리는 같은 목표를 가진 사람들이다.
주식 투자를 통해 경제적 자유를 이루고, 삶의 여유를 누리며,
나아가 가족과 주변 사람들에게 긍정적인 영향을 주고 싶다는 목표 말이다.

이 책의 각 장은 독자의 투자 여정에서 마주할 장애물과 질문들에 대한 답이다.
- 기초를 배우며 두려움을 없애는 장
- 실전에서 실패를 줄이는 전략을 익히는 장
- 글로벌 시장으로 시야를 확장하는 장
- 미래를 대비한 테마주와 장기적 투자 전략을 배우는 장

그리고 마지막으로, 당신의 이야기를 완성할 이 장이 있다.

5. 당신의 성공을 정의하라

성공이란 무엇일까?
성공은 남들이 정해준 기준이 아니라, 자신이 정한 기준을 만족시키는 것이다.
어떤 사람에게는 안정적인 배당 수익이 성공일 수 있고,
또 다른 사람에게는 미래를 선도할 기업에 투자하며 성장의 스토리를 함께 쓰는 것이 성공일 수 있다.

이 책은 그런 성공의 길을 함께 걷고자 한다.
매 장을 통해 기본을 익히고, 실전 감각을 키우며,
투자자로서 나만의 철학을 세우고 실행하는 과정.
이 모든 것이 곧 당신만의 성공 스토리가 될 것이다.

6. 당신의 이야기는 이제 시작이다

이 책의 마지막 페이지를 넘긴 순간, 진짜 투자가 시작된다.
시장은 여전히 변동할 것이고, 투자 과정에서는 고민과 실패가 함께할 것이다.
하지만 이 책이 당신의 동반자가 되어, 그 모든 순간에 힘과 영감을 줄 것이다.

당신의 투자 성공 스토리는 이미 쓰이기 시작했다.
이제는 한 걸음씩 나아가며 그 이야기를 완성할 차례다.
장기적인 성장, 경제적 자유, 그리고 당신만의 투자 철학으로 이뤄낸 성공.
이 책을 통해 그런 이야기가 현실이 되길 진심으로 바란다.

"오늘의 작은 투자 결정이 내일의 큰 변화를 만든다."
이제, 당신만의 주식 투자 이야기를 써 내려가보자.

작가의 말

미래를 위한 주식 투자라는 여정

"투자는 단순히 돈을 벌기 위한 도구가 아닙니다. 그것은 우리의 삶을 설계하고, 미래를 준비하며, 나아가 세상과 함께 성장하는 과정입니다."

책을 쓰는 내내 나는 한 가지 질문을 계속 떠올렸습니다.
"이 책을 읽는 사람들에게 나는 무엇을 전하고 싶은가?"
답은 간단하지만 깊었습니다. "투자란 당신의 삶을 더 나아지게 만드는 도구가 되어야 한다."

나는 22년간 주식 시장과 함께 성장해왔습니다.
시장의 변동성과 인간의 본성을 배우며,
무수히 많은 성공과 실패를 경험했습니다.
그리고 지금은 확신합니다.
주식 투자는 누구나 배울 수 있고, 반드시 배워야 하는 기술이며,
특히 고령화 사회를 살아가는 우리 모두에게 필수적인 생존 도구라는 사실을요.

투자의 본질, 그리고 인간의 본성에 대하여.

투자는 인간 본성과 깊게 연결되어 있습니다.
우리는 두려움에 주식을 팔고, 탐욕에 사들이며,
시장의 감정에 휩쓸리기 쉽습니다.
하지만 워런 버핏은 이렇게 말했습니다.
"다른 사람들이 두려워할 때 탐욕스럽고, 탐욕스러울 때 두려워하라."

그의 말처럼 투자는 우리의 본성을 뛰어넘는 여정입니다.
냉철함, 장기적 관점, 그리고 스스로 세운 원칙을 지키는 강한 의지가 필요합니다.
이 책을 통해 나는 그런 투자의 본질을 여러분과 나누고 싶었습니다.

시장이 제공하는 기회와 위험을 이해하고,
감정에 흔들리지 않으며,
스스로의 철학에 따라 투자하는 방법을요.

고령화 사회와 투자에 대하여.

한국은 빠르게 고령화 사회로 접어들고 있습니다.
100세 시대가 다가오면서 우리는 더 긴 노후를 준비해야 합니다.
국민연금과 저축만으로는 부족한 현실 속에서,
주식 투자는 선택이 아니라 필수가 되었습니다.
왜냐하면 주식은 단순히 자산을 늘리는 도구가 아니라,
기업의 성장과 경제의 흐름에 동참하는 방법이기 때문입니다.

투자는 돈이 일을 하게 만드는 과정입니다.
한정된 시간을 최대한 활용하기 위해,
복리의 힘으로 미래를 준비하기 위해,
우리는 지금부터 주식 투자를 배워야 합니다.
그리고 단순히 수익을 쫓는 것이 아니라,
장기적인 관점에서 안정적으로 자산을 키우는 길을 선택해야 합니다.

분산투자와 장기투자, 성공의 열쇠에 대하여.

투자에는 한 가지 중요한 진리가 있습니다.
"위험을 줄이고, 성공을 극대화하려면 분산투자와 장기투자가 필수적이다."
이 단순한 원칙은 많은 사람들이 간과하기 쉽습니다.
하지만 워런 버핏과 같은 투자 대가들은 언제나 이 원칙을 강조합니다.
시장의 변동성 속에서도 안정적으로 수익을 올릴 수 있는 비결은,
한 곳에 올인하지 않고, 다양한 자산에 투자하며,
긴 안목으로 기업의 성장을 기다리는 것입니다.

분산투자는 단순히 "리스크를 나눈다"는 개념이 아닙니다.
그것은 우리의 투자 철학을 넓히고,
시장 전체를 이해하며,
다양한 기회를 포착하는 방법입니다.
그리고 장기투자는 복리의 마법이 진정한 힘을 발휘하는 유일한 길입니다.

워런 버핏처럼 투자하라

왜 우리는 워런 버핏처럼 투자해야 할까요?
그가 단순히 세계에서 가장 부유한 투자자라서가 아닙니다.
그의 철학과 원칙은 시대를 초월해 모든 투자자에게 가치를 제공합니다.
그는 복잡한 전략보다 단순함을,
단기적 이익보다 장기적 성장을,
감정보다 데이터와 논리를 선택했습니다.

이 책의 모든 내용은 버핏의 철학을 기반으로 구성되었습니다.
그의 투자 방식은 단순히 주식 시장에서 성공하는 법을 넘어,
삶의 지혜와 철학을 담고 있습니다.
여러분도 그와 같은 원칙으로 투자한다면,
경제적 자유와 안정된 미래를 만들어갈 수 있을 것입니다.

마지막으로, 여러분에게 드리는 부탁

이 책은 단순히 정보를 전달하는 것으로 끝나지 않기를 바랍니다.
여러분이 이 책을 통해 자신의 투자 철학을 세우고,
장기적인 관점에서 꾸준히 실천하며,
자신만의 성공 스토리를 써 내려가길 바랍니다.

주식 투자는 단순히 숫자와 차트의 게임이 아닙니다.
그것은 우리가 더 나은 삶을 설계하고,

우리 가족과 사회에 긍정적인 영향을 미치는 도구입니다.

미래는 준비하는 자의 몫입니다.
지금 시작하세요.
작은 투자라도 괜찮습니다.
그 한 걸음이 여러분의 인생을 바꾸는 첫 시작이 될 것입니다.

"미래의 자신에게 지금의 선택으로 더 나은 삶을 선물하세요."
당신의 성공을 진심으로 응원합니다.

- 조덕현 -

※유튜브에서는 INVEST GPT로 검색하실 수 있습니다.

부록 : 주식투자 주요 용어 100개

※여러분들의 이해를 돕기 위해 최대한 쉽게 설명하였습니다.

1. 가중평균가격 (Weighted Average Price): 주식의 평균 가격을 단순히 계산하는 것이 아니라, 거래량에 가중치를 두어 계산하는 방식입니다. 거래량이 많았던 가격이 더 큰 영향을 미쳐 시장의 실질적인 가격 흐름을 파악할 수 있습니다.

2. 가치주 (Value Stock): 현재 시장에서 저평가되어 있는 주식으로, 미래에 가치를 재평가받아 가격이 상승할 가능성이 높은 주식입니다. 마치 할인된 명품처럼, 숨겨진 진주를 찾는 기분이 들게 합니다.

3. 감자 (Capital Reduction): 회사가 자본금을 줄이는 과정을 말합니다. 주식 수를 줄이거나 주식의 액면가를 낮추어 재무구조를 개선하거나 효율성을 높이기 위해 시행됩니다.

4. 고가 (High Price): 특정 거래일 동안 해당 주식이 거래된 가장 높은 가격입니다. "오늘의 최고점"이라고 볼 수 있습니다.

5. 공매도 (Short Selling): 주식을 빌려서 판 뒤, 주가가 하락하면 다시 저렴한 가격에 사들여 갚는 전략입니다. 주가가 떨어질 때도 수익을 낼 수 있는 방법이지만, 고위험 고수익 전략에 속합니다.

6. 기업공개 (IPO: Initial Public Offering): 비상장 기업이 처음으로 주식을 대중에게 공개하여 증권시장에 상장하는 과정입니다. 스타트업이 세상에 데뷔하는 날과 같습니다.

7. 기관투자자 (Institutional Investor): 펀드, 은행, 보험사 등 대규모 자금을 운용하는 전문가들입니다. 시장에서 큰손 역할을 하며, 주식시장에 막대한 영향을 미칩니다.

8. 기초자산 (Underlying Asset): 파생상품의 가치가 의존하는 자산을 뜻합니다. 예를 들어 옵션의 경우, 특정 주식이나 지수가 기초자산이 됩니다.

9. 기본적 분석 (Fundamental Analysis): 기업의 재무제표, 산업 동향 등을 분석하여 기업의 내재 가치를 평가하는 방법입니다. 회사의 건강검진을 하는 것과 비슷합니다.

10. 기술적 분석 (Technical Analysis): 과거 주가와 거래량 데이터를 기반으로 미래 주가 움직임을 예측하는 방법입니다. 차트와 패턴 분석을 통해 투자 타이밍을 잡는 데 활용됩니다.

11. 매도호가 (Ask Price): "이 가격에 팔겠다!"라고 판매자가 제시한 가격입니다. 주식을 팔고자

하는 사람들의 희망 가격을 나타냅니다.

12. 매수호가 (Bid Price): "이 가격에 사겠다!"라고 구매자가 제시한 가격입니다. 주식을 사고자 하는 사람들의 희망 가격입니다.

13. 시가 (Opening Price): 하루의 첫 거래에서 형성된 가격입니다. 주식 시장의 아침을 여는 가격이라고 볼 수 있습니다.

14. 종가 (Closing Price): 하루의 마지막 거래에서 결정된 가격입니다. 하루의 주식 시장을 마감하는 가격으로, 다음날의 시세에 영향을 미칩니다.

15. 저가 (Low Price): 특정 거래일 동안 해당 주식이 거래된 가장 낮은 가격입니다. "오늘의 바닥가"로 이해하면 됩니다.

16. 시가총액 (Market Capitalization): 회사의 총 발행 주식 수에 현재 주가를 곱한 값으로, 기업의 전체 가치를 나타냅니다. 기업의 시장에서의 몸값이라고 볼 수 있습니다.

17. 거래량 (Trading Volume): 특정 기간 동안 주식이 거래된 총 수량을 말합니다. 거래가 활발할수록 투자자들의 관심이 높다는 신호일 수 있습니다.

18. 거래대금 (Trading Value): 거래량에 주가를 곱한 값으로, 특정 기간 동안 거래된 주식의 총 금액을 의미합니다. 시장의 활발함을 측정하는 지표로 사용됩니다.

19. 유동주식 (Floating Stock): 시장에서 자유롭게 거래 가능한 주식 수를 뜻합니다. 대주주나 내부자가 보유한 주식은 제외됩니다.

20. 외국인 순매수 (Foreign Net Buying): 외국인이 주식을 얼마나 순매수 또는 순매도했는지를 나타냅니다. 외국인의 자금 흐름은 시장에 큰 영향을 미칩니다.

21. 매출액 (Revenue): 기업이 제품이나 서비스를 판매하여 얻은 총수익을 말합니다. 기업의 전체 규모를 파악하는 데 중요한 지표입니다.

22. 순이익 (Net Income): 총수익에서 모든 비용을 제외하고 남은 금액으로, 기업의 최종 성과를 나타냅니다. "결산 잔액"이라고도 할 수 있습니다.

23. 영업이익 (Operating Profit): 매출액에서 영업비용을 뺀 금액으로, 기업의 본업에서 벌어들인 이익을 나타냅니다. 기업의 핵심 경쟁력을 평가할 때 중요한 지표입니다.

24. 주가수익비율 (PER: Price Earnings Ratio): 주가를 주당 순이익으로 나눈 값으로, 기업의 수익성 대비 주가 수준을 평가하는 데 사용됩니다. "이 회사는 1년 순이익의 몇 배로 평가받는

가?"를 나타냅니다.

25. 주가순자산비율 (PBR: Price to Book Ratio): 주가를 주당 순자산으로 나눈 값으로, 기업의 자산 대비 시장 평가를 나타냅니다. "회사의 청산 가치를 얼마나 평가하는가?"를 보여줍니다.

26. 자기자본이익률 (ROE: Return on Equity): 순이익을 자기자본으로 나눈 비율로, 주주가 투자한 자본으로 얼마나 효율적으로 이익을 창출했는지를 나타냅니다.

27. 배당수익률 (Dividend Yield): 주당 배당금을 현재 주가로 나눈 비율로, 투자자가 주식 보유로부터 얻을 수 있는 현금 수익률을 나타냅니다.

28. 부채비율 (Debt-to-Equity Ratio): 총 부채를 자기자본으로 나눈 비율로, 기업의 재무 건전성을 평가하는 데 사용됩니다. 비율이 낮을수록 안정적입니다.

29. EBITDA (Earnings Before Interest, Taxes, Depreciation, and Amortization): 이자, 세금, 감가상각비를 차감하기 전의 순이익으로, 기업의 실제 영업 성과를 평가하는 데 유용합니다.

30. 주당순이익 (EPS: Earnings Per Share): 순이익을 총 발행 주식 수로 나눈 값으로, 주주 1주당 벌어들인 이익을 의미합니다. "1주당 얼마를 벌었나?"를 보여줍니다.

31. 이동평균선 (Moving Average Line): 주가의 일정 기간 평균값을 선으로 나타낸 그래프. 주가의 방향성과 흐름을 부드럽게 보여줘 "시장 지도" 역할을 합니다.

32. 골든크로스 (Golden Cross): 단기 이동평균선이 장기 이동평균선을 위로 뚫고 올라가는 현상으로, 상승 신호로 해석됩니다. "시장에 햇살이 비친다!"라고 생각하면 됩니다.

33. 데드크로스 (Dead Cross): 단기 이동평균선이 장기 이동평균선을 아래로 뚫고 내려가는 현상으로, 하락 신호로 간주됩니다. "폭풍이 다가온다"는 경고와 같아요.

34. 캔들 차트 (Candlestick Chart): 주가의 시가, 종가, 고가, 저가를 직관적으로 보여주는 차트로, 각 캔들이 하루의 주가 움직임을 상징합니다. "주식의 감정을 읽는 도구"라 불립니다.

35. 지지선 (Support Line): 주가가 하락하다 멈추고 반등하는 경향이 있는 가격대. "주가가 더 이상 떨어지지 않도록 받쳐주는 바닥!"이라고 이해하면 쉬워요.

36. 저항선 (Resistance Line): 주가가 상승하다 멈추고 하락하는 경향이 있는 가격대. "주가가 더 이상 올라가지 못하게 막는 천장!"과 같습니다.

37. MACD (Moving Average Convergence Divergence): 이동평균선의 수렴과 확산을 나타내는 지표로, 매수와 매도 타이밍을 잡는 데 유용합니다. "투자자의 나침반"이라고 할 수 있어요.

38. RSI (Relative Strength Index): 주식의 과매수와 과매도 상태를 측정해 투자자 심리를 분석하는 지표. "주식이 과열되었는지, 식었는지 알 수 있는 온도계"입니다.

39. 볼린저밴드 (Bollinger Bands): 주가의 변동성을 보여주는 지표로, 주가가 밴드 밖으로 나가면 과매수나 과매도로 판단합니다. "시장의 숨결을 읽는 도구"입니다.

40. 스토캐스틱 (Stochastic Oscillator): 주가의 현재 위치를 일정 기간의 고가와 저가 범위 내에서 평가하는 지표. "주식의 현재 위치를 알려주는 GPS!"입니다.

41. 강세장 (Bull Market): 주가가 장기적으로 상승하는 시장으로, 황소가 뿔로 들이받는 모습에서 유래했습니다. "투자자들에게 희망의 행진!"이라고도 합니다.

42. 약세장 (Bear Market): 주가가 장기적으로 하락하는 시장으로, 곰이 발톱으로 가격을 내리치는 모습에서 비롯되었습니다. "투자자들에게 인내심을 요구하는 시기"입니다.

43. 상승장 (Rising Market): 단기적으로 주가가 상승세를 보이는 시장입니다. "시장이 축제를 벌이는 중!"이라고 느껴질 수 있죠.

44. 하락장 (Falling Market): 단기적으로 주가가 하락세를 보이는 시장입니다. "신중함이 요구되는 시기"로, 조심스러운 투자가 필요합니다.

45. 횡보장 (Sideways Market): 주가가 일정 범위 안에서 등락을 거듭하며 방향성을 찾지 못하는 시장입니다. "투자자들의 인내심을 시험하는 시기"라고 할 수 있어요.

46. 상한가 (Upper Limit Price): 하루 동안 주식이 상승할 수 있는 최대 가격으로, "오늘의 대박 주식"이라 불리기도 합니다.

47. 하한가 (Lower Limit Price): 하루 동안 주식이 하락할 수 있는 최대 가격으로, "오늘의 위기 주식"이라고 볼 수 있습니다.

48. 공모주 (Public Offering Stock): 신규 상장 시 대중에게 판매되는 주식으로, 일반 투자자들이 초기 투자에 참여할 기회를 제공합니다. "새로운 투자 모험의 시작"입니다.

49. 보호예수 (Lock-Up): 대주주나 내부자가 보유한 주식을 일정 기간 동안 매도하지 못하도록 제한하는 제도입니다. "시장의 안정 장치"로 작용합니다.

50. 유상증자 (Paid-in Capital Increase): 회사가 자본을 늘리기 위해 주식을 추가로 발행하여 자금을 조달하는 방식입니다. "기업 성장의 연료"라고 이해하면 됩니다.

51. 선물 (Futures): 미래의 특정 시점에 자산을 정해진 가격으로 사고팔기로 약정한 계약. "미래의 가격을 현재 거래하는 시장"입니다.

52. 옵션 (Options): 특정 자산을 정해진 가격에 사고팔 수 있는 권리를 거래하는 상품으로, "선택권의 거래"라 할 수 있습니다.

53. 콜옵션 (Call Option): 특정 자산을 정해진 가격에 살 권리를 거래합니다. "미래 상승에 베팅하는 도구"입니다.

54. 풋옵션 (Put Option): 특정 자산을 정해진 가격에 팔 권리를 거래합니다. "미래 하락에 베팅하는 도구"입니다.

55. 스왑 (Swap): 두 당사자가 서로 다른 금융 자산이나 채무를 교환하는 거래입니다. "자산 교환의 기술"이라 볼 수 있습니다.

56. 헤지 (Hedge): 가격 변동 위험을 회피하기 위해 사용하는 투자 전략. "위험을 피해가는 안전망"입니다.

57. 레버리지 (Leverage): 적은 자본으로 큰 거래를 하기 위해 차입금을 활용하는 전략입니다. "작은 힘으로 큰 결과를 만드는 지렛대"입니다.

58. 롱포지션 (Long Position): 자산을 보유하고 가격 상승을 기대하는 투자 전략으로, "상승 신뢰"라 할 수 있습니다.

59. 숏포지션 (Short Position): 자산을 빌려 매도하고 가격 하락을 기대하는 투자 전략입니다. "하락에 거는 믿음"이죠.

60. 스트래들 (Straddle): 동일한 자산에 대해 콜옵션과 풋옵션을 동시에 매수하는 전략. "시장의 큰 변동성을 예상하는 베팅"입니다.

61. 성장주 (Growth Stock): 빠르게 성장하는 기업의 주식으로, 현재 수익보다는 미래의 높은 성장을 기대하는 투자자들이 선호합니다. "미래를 꿈꾸는 주식"으로, 성장 가능성이 높아 장기적인 투자의 매력을 제공합니다. 하지만 종종 변동성이 크기 때문에 신중한 접근이 필요합니다.

62. 배당주 (Dividend Stock): 꾸준히 배당금을 지급하는 기업의 주식입니다. 안정적인 현금 흐름을 원하는 투자자들에게 적합하며, "돈을 벌어다 주는 자산"으로 인식됩니다. 특히 경제 불황 시에도 매력적인 투자 대상이 됩니다.

63. 테마주 (Thematic Stock): 특정한 사회적, 경제적 이슈나 트렌드에 따라 주목받는 주식입니다. "뜨거운 감자 주식"으로, 테마가 지속될 경우 큰 수익을 낼 가능성이 있습니다. 그러나 테마

가 사라지면 급락 위험도 있다는 점을 유념해야 합니다.

64. 방어주 (Defensive Stock): 경제 불황에도 비교적 안정적인 수익을 제공하는 주식으로, "폭풍 속의 안전지대" 역할을 합니다. 주로 필수 소비재나 의료 산업 주식이 이에 해당합니다.

65. 공격주 (Aggressive Stock): 높은 성장 가능성과 함께 높은 위험을 동반한 주식으로, "높은 리스크, 높은 리턴" 전략의 중심에 있습니다. 주로 기술주나 혁신 기업 주식이 이에 속합니다.

66. 블루칩 (Blue Chip): 안정적이고 꾸준한 성장을 보이는 대기업 주식을 지칭합니다. "시장의 기둥"으로, 경제가 어려운 시기에도 견고한 성과를 보이는 신뢰 높은 주식입니다.

67. 멀티배거 (Multibagger): 투자 원금의 여러 배에 달하는 수익을 가져다주는 주식입니다. "꿈을 현실로 바꾸는 주식"으로, 투자자들의 영웅 같은 존재입니다.

68. 가치투자 (Value Investing): 저평가된 주식을 찾아내 장기적으로 보유하는 투자 방식입니다. "숨겨진 보석을 찾는 과정"으로, 내재 가치를 중점적으로 분석합니다.

69. 성장투자 (Growth Investing): 미래의 높은 성장 가능성을 보고 현재의 낮은 수익을 감수하며 투자하는 전략입니다. "미래를 믿고 기다리는 투자"로, 빠른 성장을 목표로 합니다.

70. 퀀트투자 (Quantitative Investing): 데이터를 기반으로 알고리즘과 수학적 모델을 활용해 투자 결정을 내리는 방식입니다. "숫자와 과학으로 무장한 투자"로, 감정에 휘둘리지 않는 객관적인 접근이 특징입니다.

71. 환율 (Exchange Rate): 두 국가의 통화를 교환할 때 적용되는 비율입니다. "국제 무역의 기준 가격"으로, 환율 변화는 수출입 기업과 투자자들에게 큰 영향을 미칩니다.

72. 금리 (Interest Rate): 돈을 빌리거나 빌려줄 때 적용되는 비율로, 경제의 전반적인 유동성을 결정짓는 주요 요소입니다. "돈의 시간 가치"를 측정하는 중요한 지표입니다.

73. 인플레이션 (Inflation): 물가가 지속적으로 상승하여 화폐의 가치가 떨어지는 현상입니다. "돈의 구매력이 줄어드는 경고"로, 투자자들에게 자산 분산의 필요성을 상기시킵니다.

74. 디플레이션 (Deflation): 물가가 지속적으로 하락하며 경제가 위축되는 현상입니다. "돈의 가치가 상승하지만, 경제는 얼어붙는 상황"으로, 소비와 투자가 위축될 수 있습니다.

75. GDP (Gross Domestic Product): 일정 기간 동안 한 나라에서 생산된 모든 재화와 서비스의 총액. "국가 경제의 성적표"로, 경제 성장을 평가하는 데 핵심 지표로 사용됩니다.

76. CPI (Consumer Price Index): 소비자가 구매하는 상품과 서비스의 평균 가격 변동을 나타

내는 지표입니다. "가계 경제의 체감 물가"로, 물가 변동을 쉽게 이해할 수 있게 합니다.

77. FOMC (Federal Open Market Committee): 미국의 통화정책을 결정하는 연방준비제도 산하 위원회입니다. "세계 경제의 방향키"로, 투자자들은 FOMC 회의 결과에 따라 전략을 조정합니다.

78. QE (Quantitative Easing): 중앙은행이 시장에 유동성을 공급하기 위해 자산을 매입하는 정책. "경제를 살리기 위한 자금의 홍수"로, 금융 위기 시 자주 사용됩니다.

79. Tapering (테이퍼링): 중앙은행이 양적 완화를 줄이는 정책으로, "경제의 과열을 방지하는 단계"를 의미합니다.

80. FED (Federal Reserve System): 미국의 중앙은행으로, 세계 금융시장의 중심 역할을 합니다. "경제의 조정자"로, 통화정책을 통해 세계 경제에 영향을 미칩니다.

81. 리스크 관리 (Risk Management): 투자 손실을 최소화하기 위해 위험을 체계적으로 관리하는 방법입니다. "안전한 투자로 가는 방패"로, 투자 성공의 필수 요소입니다.

82. 손절매 (Stop Loss): 손실을 줄이기 위해 주식을 특정 가격에 매도하는 전략. "손실을 끊어내는 결단력"으로, 감정적 투자를 방지합니다.

83. 분산투자 (Diversification): 다양한 자산에 투자하여 리스크를 줄이는 전략입니다. "모든 달걀을 한 바구니에 담지 말라"는 교훈을 실천합니다.

84. 헤지펀드 (Hedge Fund): 고수익을 목표로 다양한 투자 전략을 사용하는 펀드입니다. "위험을 관리하며 고수익을 추구하는 플레이어"로, 제한된 투자자만 참여할 수 있습니다.

85. 신용거래 (Margin Trading): 자본이 부족한 투자자들이 차입금을 활용해 더 큰 규모로 투자하는 거래 방식. "레버리지로 수익을 극대화"하지만, 손실 위험도 크다는 점을 유의해야 합니다.

86. 공시 (Disclosure): 기업이 투자자들에게 중요한 정보를 투명하게 공개하는 제도. "투명한 시장을 만드는 필수 장치"로, 신뢰를 구축합니다.

87. 보호예수 (Lock-Up): 대주주가 보유한 주식을 일정 기간 동안 매도하지 못하도록 제한하는 규정. "시장의 안정성을 위한 안전장치"로, 주식 변동성을 줄이는 데 기여합니다.

88. 금융감독원 (Financial Supervisory Service): 금융시장을 감독하고 규제하는 국가 기관. "금융의 수호자"로, 건전한 시장을 조성합니다.

89. 내부자 거래 (Insider Trading): 회사 내부 정보를 이용해 거래를 하는 행위로, 공정한 시장

을 저해하는 불법입니다. "투명성을 해치는 암흑의 거래"로 간주됩니다.

90. 단기매매차익 (Short-Swing Profit): 단기간 주식을 사고팔아 얻은 이익. "빠른 손익을 추구하는 전략"으로, 시장 타이밍이 중요합니다.

91. 스톡옵션 (Stock Option): 회사가 임직원에게 특정 가격으로 주식을 매수할 권리를 부여하는 제도. "성과를 보상하는 도구"로, 직원 동기부여에 효과적입니다.

92. ESG 투자 (Environmental, Social, and Governance Investing): 환경, 사회, 지배구조를 고려하는 지속 가능한 투자. "착한 투자, 그리고 수익성까지 고려하는 미래형 투자"입니다.

93. ETF (Exchange-Traded Fund): 주식처럼 거래되는 펀드로, 다양한 자산에 간접 투자할 수 있습니다. "투자의 만능 도구"로, 비용 효율성과 유동성이 높습니다.

94. REITs (Real Estate Investment Trusts): 부동산 투자 신탁으로, 소액으로도 부동산에 투자할 수 있습니다. "부동산을 주식처럼 투자"할 수 있는 대안입니다.

95. IPO (Initial Public Offering): 비상장 기업이 주식을 공개하여 증권시장에 상장하는 과정. "기업의 데뷔 무대"로, 자본 조달과 성장의 발판이 됩니다.

96. M&A (Mergers and Acquisitions): 기업 간의 인수합병을 뜻하며, 성장과 확장을 위한 중요한 전략입니다. "기업 세계의 결혼식"으로, 시너지 효과를 기대합니다.

97. 블록딜 (Block Deal): 대량의 주식을 한꺼번에 거래하는 방식으로, 주로 기관투자자들 간에 이루어집니다. "큰손들의 거래 전략"으로, 시장 변동성에 영향을 미칩니다.

98. 리밸런싱 (Rebalancing): 투자 포트폴리오 내 자산 비중을 재조정하는 과정. "투자의 건강검진"으로, 목표에 맞는 포트폴리오를 유지합니다.

99. 채권 (Bond): 자금을 조달하기 위해 발행하는 부채 증서로, 안정적인 이자 수익을 제공합니다. "안정적이고 예측 가능한 투자 수단"입니다.

100. 적립식 투자 (Regular Investment): 일정 금액을 정기적으로 투자하여 평균 매입 단가를 낮추는 전략입니다. "꾸준함이 만드는 성공의 열쇠"로, 장기 투자자에게 적합합니다.